Inhoud

Inleiding

Tien jaar gevangenschap in Thailand moest hij bijna helemaal volmaken, maar begin 2007 zette Machiel Kuijt eindelijk weer voet op Nederlandse bodem. De Amsterdamse marktkoopman stapte een nieuwe wereld binnen. Hij moest kennismaken met een totaal veranderd Nederland. Op 1 februari werd hij 39 jaar. Toen hij, op 16 april 1997, door de politie uit een taxi in Bangkok werd gehaald en achter de tralies werd gezet, was hij 29 en zag de wereld er nog heel anders uit.

In Den Haag regeerde het paarse kabinet onder leiding van premier Wim Kok over een rustig en welvarend Nederland. Het zou nog vierenhalf jaar duren voordat moslimterroristen in de Verenigde Staten met gekaapte vliegtuigen de wereld op zijn kop zetten.

Door de moord op Pim Fortuyn op 6 mei 2002 en vervolgens de moord op Theo van Gogh op 2 november 2004 is ook Nederland fundamenteel veranderd. Machiel Kuijt is teruggekeerd in een aanzienlijk hardere maatschappij, met terreuralarm op stations, preventief fouilleren en een identificatieplicht.

Maar het is nog altijd een paradijs, vergeleken met zijn bestaan achter tralies, muren en prikkeldraad van de afgelopen tien jaar. Hier kan hij weer gaan en staan waar hij wil. Hij kan – een diepste wens – zich afzonderen, eindelijk eens in eenzame rust van iets genieten.

En hij is terug bij zijn ouders, Pita en Ad Kuijt, zijn broer Simo en vooral bij zijn twee dochters. Anouk was net twee jaar, Simone acht maanden toen hun vader werd opgepakt. Als ze hem terugkrijgen, zijn ze bijna twaalf en tien.

De meisjes zijn geboren uit de relatie die Machiel heeft gehad met de Thaise Linda Sanguan Pramoonchakka. Zij hadden elkaar in Amsterdam leren kennen, waar Linda eerder getrouwd was geweest met een Nederlander. Daaraan dankt zij de Nederlandse nationaliteit, naast haar Thaise.

Machiel en zijn vriendin zijn niet getrouwd geweest. Nadat hun relatie was stukgelopen, is Linda eind 1996 met de kindertjes naar Thailand teruggegaan.

Het voorjaar daarop ging Machiel op vakantie naar Thailand, onder meer om in Pattaya zijn dochtertjes en hun moeder op te zoeken. Hij had nog een andere band met het land: in Nederland behoorde hij tot de toppers in de Thaise volkssport nummer één, het thaiboksen.

Na zijn verblijf in Thailand wilde Machiel met een Italiaanse vriend, Marco Valeri, doorreizen naar Australië. Op de dag van hun vertrek nam hij afscheid van Linda en van Anouk en Simone. In de taxi naar Bangkok werden Machiel en Marco door de politie opgepakt.

De reden bleek dat diezelfde dag bij Linda en haar neef Samarn in de auto 748 gram heroïne werd aangetroffen. De politie zei dat agenten zowel Linda en haar neef als Machiel al geruime tijd in de gaten hebben gehouden. Machiel werd ervan verdacht dat hij de drugs naar Australië wilde smokkelen.

Machiel ontkende dat hij iets van die heroïne wist. Ook Linda en haar neef, die zelf wel schuld bekenden, verklaarden dat Machiel er niets mee te maken had. Bij hem in de taxi was ook niets gevonden dat op enige betrokkenheid wees.

Toch werden hij en Marco gevangengezet, in afwachting van de behandeling van hun zaak door de Thaise rechtbank. Twee weken in een politiecel, een halfjaar in Bombat, de speciale gevangenis voor iedereen die voor een drugsdelict wordt opgepakt, en vervolgens in de aangrenzende Lardyao-gevangenis.

Bombat en Lardyao maken deel uit van een groot gevangeniscomplex, Klong Prem, ten noorden van Bangkok. Ook de vrouwengevangenis, waar Linda heen moest, bevindt zich daar.

Enkele tientallen kilometers westelijk, aan de rivier Chao Phraya, ligt de andere grote gevangenis van Bangkok, de beruchte Bangkwang, beter bekend met de bijnaam Bangkok Hilton. Daar heeft Machiel de laatste drie jaar van zijn gevangenschap doorgebracht.

De twee kleine meisjes werden opgevangen door oma en opa Kuijt. Zo groeiden zij onverwacht toch nog in Amsterdam op. Na zijn vrijlating kreeg Machiel dus de zorg over twee kinderen die zich totaal anders hebben ontwikkeld dan hem voor ogen stond toen hij tien jaar tevoren afscheid van ze nam.

In de Lardyaogevangenis moest hij bijna vijf jaar wachten voordat zijn zaak eindelijk voor de rechter kwam. Na twee jaar deed de Nederlandse regering (samen met de Italiaanse, want Machiel Kuijt en Marco Valeri werden tezamen vervolgd) schriftelijk een dringend beroep op de Thaise autoriteiten om snel tot een rechtszaak te komen. Zonder resultaat.

Al die tijd is zijn zaak buiten de publiciteit gehouden. Pita en Ad Kuijt hadden het dringende advies van het ministerie van Buitenlandse Zaken gekregen de 'stille diplomatie' niet te schaden.

Eindelijk, op 11 maart 2002, wees de rechter vonnis. Hij sprak Machiel en Marco vrij. Zij hadden immers geen drugs bij zich en er zijn alleen maar ontlastende verklaringen over hen afgelegd. Linda en haar neef kregen, in ruil voor hun schuldbekentenis, 33 jaar in plaats van levenslang.

Maar de officier van justitie ging in beroep. Marco Valeri werd voorlopig vrijgelaten; Machiel Kuijt moest echter in de gevangenis blijven. Vanwege zijn relatie met Linda, gaven de Thaise autoriteiten als verklaring.

Wel werden nog pogingen in het werk gesteld Machiel op borgtocht vrij te krijgen. Daarvoor schreef de toenmalige minister van Buitenlandse Zaken, Jaap de Hoop Scheffer, zelfs een aanbevelingsbrief. Maar de kans op borgtocht vrij te komen, was verkeken, toen in maart 2003 een andere Nederlander, Peter Bedier de Prairie, een zoon van Gretta Duisenberg, Thailand ontvluchtte. Deze was op borgtocht vrijgelaten in afwachting van een rechtszaak wegens drugsbezit.

Al tevoren, in december 2002 was het Pita Kuijt allemaal te veel geworden. Zij had geen enkele fiducie meer in Buitenlandse Zaken, vooral niet in de ambassade in Bangkok, en besloot het stilzwijgen te verbreken. Vanaf dat moment volgen verschillende Nederlandse media de zaak-Kuijt op de voet.

Volslagen onverwacht kreeg Machiel op 31 oktober 2003 zijn vonnis in hoger beroep te horen: levenslang. Hoewel er geen enkel nieuw onderzoek is gedaan en niemand in tweede instantie is gehoord, kwam de rechter nu tot een tegenovergesteld oordeel. Kuijts advocaat, Geert-Jan Knoops, kondigde daarom cassatie aan.

Het ministerie van Buitenlandse Zaken zette zich inmiddels wel meer actief in voor Kuijt, die direct na de veroordeling naar de Bangkwanggevangenis was overgebracht. Minister De Hoop Scheffer ontbood na het stiekeme vonnis de Thaise ambassadeur. En met algemene stemmen nam de Tweede Kamer een motie van D66 aan om snel een verdrag met Thailand te sluiten, waardoor ginds opgesloten Nederlanders na een aantal jaren hun straf hier verder kunnen uitzitten.

Minister Ben Bot, die De Hoop Scheffer inmiddels had opgevolgd, maakte tijdens het staatsbezoek van koningin Beatrix op 22 januari 2004 in Bangkok bekend dat er een verdrag met Thailand wordt gesloten dat levenslang gestraften, zoals Machiel Kuijt, de gelegenheid biedt na acht jaar naar Nederland te gaan. Maar dan mag er geen beroep meer lopen. Bot kreeg de toezegging dat het cassatieverzoek van Machiel binnen een halfjaar zou worden behandeld; normaal duurt dat anderhalf tot twee jaar. Van die belofte is niets terechtgekomen. En nog minder van een belofte die de Thaise regering toen tevens deed. Het doodvonnis van twee andere Nederlanders, Edy Tang en Li Yang, zou worden omgezet in levenslang. De uitspraak in hun cassatiezaak, die 17 januari 2006 werd bekendgemaakt, luidde echter dat het doodvonnis van beiden van kracht blijft.

Hun advocaat diende in maart een gratieverzoek in bij koning Bhumibol. De Nederlandse regering ondersteunde dat verzoek in diplomatieke stappen; koningin Beatrix en kroonprins Willem-Alexander deden dat in persoonlijke contacten. Begin augustus willigde de Thaise koning het gratieverzoek in. Het doodvonnis van Tang en Yang werd alsnog omgezet in levenslang. Zij kregen ineens een veel rooskleuriger vooruitzicht. Niet alleen was de angst voor een eventuele executie verdwenen, maar zij maakten nu ook kans op overdracht aan Nederland. Al was die mogelijkheid voor Yang twee maanden later weer verkeken, toen bleek dat hij een vals paspoort had en dus geen Nederlander was.

Op 23 augustus 2004 tekenden minister Bot en de Thaise ambassadeur eindelijk het verdrag waardoor Nederlanders met een gevangenisstraf niet langer tientallen jaren in een Thaise kerker hoeven te verblijven. Op 1 april 2005 trad het in werking.

Dat stelde Machiel voor een pijnlijk dilemma, toen hij in april 2005 er acht jaar op had zitten.

Als hij zijn cassatieverzoek zou intrekken, kon hij meteen een beroep op het verdrag doen, met uitzicht op spoedige terugkeer naar Nederland. Maar dat zou een schuldbekentenis inhouden. Daarom besloot hij toch zijn cassatie vol te houden.

In september 2005 gaven de Thaise autoriteiten – heel ongebruikelijk – een schriftelijke verklaring aan de Nederlandse regering, dat de cassatie 'waarschijnlijk binnen zes maanden' zou worden afgerond. Op 27 maart 2006 is dat dan eindelijk daadwerkelijk gebeurd.

Maar de uitspraak luidde opnieuw: levenslang. Alle verweer van de verdediging werd van de hand gewezen. Onmiddellijk na dit definitieve vonnis werd de procedure in werking gesteld voor overbrenging naar Nederland. Zowel de Thaise als de Nederlandse autoriteiten werkten ditmaal wonderwel mee om de papierwinkel snel te laten afwikkelen.

Dat wil zeggen: het gerechtshof in Arnhem deed dat. De ambtenaren van het ministerie van Justitie dreigden echter alsnog dwars te gaan liggen, maar minister Piet Hein Donner riep ze na een interventie van D66-Kamerlid Boris Dittrich tot de orde. In juli 2006 werd het officiële verzoek om Machiel Kuijt naar Nederland over te brengen naar de regering in Bangkok gestuurd.

Daarnaast is een gratieverzoek bij de Thaise koning ingediend, met het klemmende verzoek Machiel op humanitaire gronden vrij te laten. Machiels ouders die zijn kinderen grootbrengen en de school waarop de twee meisjes zitten, ondersteunden dit gratieverzoek.

Op 15 december 2006 kwam het verlossende woord van de speciale commissie die voor de Thaise regering beslist over de overdracht van gevangenen volgens een verdrag. Machiel Kuijt mocht naar Nederland. Eindelijk, na bijna tien jaar.

Al die jaren heeft Machiel Kuijt in brieven aan zijn ouders vastgelegd wat hij heeft meegemaakt in de Thaise gevangenissen. Dit boek is een weerslag van zijn ervaringen. Het is zijn beschrijving van wat hij de 'Thaise logica' noemt, het onrecht en de ongelijkheid die hem al die jaren bleven verbazen, zonder dat degenen die daarvan het slachtoffer zijn, ertegen in opstand komen.

Het is zijn schets van de 'plantenkas', waarin de gevangenen worden afgestompt door sleur en passiviteit, terwijl hij met grote hardnekkigheid probeerde daaraan te ontsnappen.

Hij vertelt over het dagelijks leven in de gevangenis, eerst in Bombat, dan bijna zes jaar in Lardyao, en ten slotte in Bangkwang. Hij beschrijft zijn positie te midden van duizenden andere gevangenen, zijn contacten met ter dood veroordeelden, en zijn bijzondere vriendschappen.

Hij legt uit hoe het gevangenisregime in elkaar zit, wat de rol is van de buildingchiefs, de hoofdbewakers, wat de bewakers doen en vooral het merkwaardige fenomeen van de blueshirts, de medegevangenen die als hulp van de bewakers optreden.

Hij vertelt over het verloop van zijn rechtszaak en over de onberekenbaarheid van de uitspraken. Hij beschrijft zijn wederwaardigheden in de gevangenisziekenhuizen. Hij schildert de gruwelijke omstandigheden waaronder hij en zoveel andere gevangenen uit Nederland en andere westerse landen jarenlang in Thailand moeten zuchten.

Ik heb Machiels teksten gegroepeerd, op diverse onderwerpen in hoofdstukken samengevoegd en hier en daar wat aangepast – meer niet.

Op enkele plaatsen wordt zijn relaas onderbroken door aanvullende beschrijvingen van enkele andere hoofdrolspelers in zijn zaak, zijn moeder Pita en zijn Nederlandse advocaat, mr. Geert-Jan Knoops.

Maar wat nu volgt, is vooral het verhaal van Machiel Kuijt over zijn tien jaar achter Thaise tralies.

Amsterdam, 1 januari 2007
Bert Steinmetz

1. Naar Australië

Het verkeer in Bangkok is, zoals gebruikelijk, een gekken-huis op 16 april 1997. Terwijl mijn vriend Marco Valeri en ik in een taxi stilstaan voor een stoplicht, worden opeens de portieren opengetrokken door een aantal gewapende politie-agenten in burger. Ze laten hun identiteitskaarten zien en zeggen dat wij uit moeten stappen.

We worden van top tot teen gefouilleerd en ook de taxi wordt helemaal overhoop gehaald. Een uur moeten we zo langs de kant van de weg blijven staan. Als we vragen wat er aan de hand is, krijgen we geen antwoord. Uiteindelijk verzoeken de agenten ons vriendelijk maar heel duidelijk mee te gaan naar het politiebureau voor verhoor.

'Waarom?'

'Oh, no problem, maar toch meekomen.'

We kunnen weinig anders doen dan aan hun dringende verzoek mee te werken.

Welkom in een wereld die nooit in je fantasie is opgekomen. Welkom in een nachtmerrie die, meende je, alleen in films voorkomt.

Eind februari was ik naar Thailand gevlogen om daar vakantie te houden en om mijn dochtertjes Anouk en Simone en hun moeder Linda te zien. Alles verliep plezierig, alles ging volgens plan.

In Thailand trok ik op met mijn vriend Marco Valeri. Ik kon er volop trainen in thaiboksen, mijn favoriete sport, die in Thailand net zo populair is als voetballen hier.

We waren van plan vanuit Thailand verder te reizen naar Australië. Marco heeft daar familie die hij wilde opzoeken. En ik had via een sportschool geregeld dat ik bij een vriend in Australië kon gaan trainen en lesgeven in thaiboksen.

Nadat alles in orde was gemaakt voor het vervolg van onze reis, stond onze vlucht naar Melbourne geboekt voor 16 april. Diezelfde ochtend had ik met Marco afgesproken in een koffietentje in Pattaya waar we vaak ontbeten en een kop koffie dronken.

Maar eerst ging ik nog van mijn appartement naar het huis van mijn ex-vriendin Linda om daar Anouk en Simone gedag te zeggen en wat spullen van mij op te halen die bij haar lagen.

Linda vertelde dat zij ook een afspraak in Bangkok had die dag. Ze had een operatie ondergaan en de hechtingen moesten eruit; bovendien moest ze door de arts daar worden gecontroleerd. De behandelend chirurg heeft later voor de rechtbank getuigd dat zij ook werkelijk die afspraak had in zijn kliniek.

Zij had al een taxi besteld om daar met haar neef Samarn naartoe te gaan, en stelde voor samen naar Bangkok te rijden. Maar ik voelde er weinig voor met zoveel mensen in één taxi te zitten, terwijl wij ook nog eens allebei een heel andere kant op moesten in de stad.

Bovendien beschikten Linda en haar neef zelf over een auto. Dus stelde zij uiteindelijk voor: 'Neem jij die taxi maar die ik al heb besteld, dan gaan wij met onze auto.' Nadat we de kinderen gedag hadden gezegd, ging ik met Linda en Samarn naar het huis van haar broer, waar zij de auto had staan.

Daar nam ik afscheid van Linda. Ik vertelde de taxichauffeur naar het koffietentje te rijden waar ik met Marco had afgesproken. Daar stapte mijn vriend ook in en samen reden we van Pattaya naar Bangkok, waar wij een hotel zouden pakken om even uit te rusten, voordat we 's avonds om negen uur de vlucht naar Melbourne zouden nemen. Maar naar Australië zijn we nooit meer vertrokken. Na zo'n tweeënhalf uur rijden kwamen we aan in Bangkok, waar de politiemannen bij het stoplicht een abrupt einde maakten aan onze reis.

Na aankomst op het politiebureau worden Marco en ik naar een kamer gebracht op een bovenverdieping. Daar begint een politieman een verhoor dat al met al een kleine tien uur duurt. Het verhoor verloopt helemaal in het Engels, de man spreekt het vloeiend. Een andere agent tikt alles uit op een schrijfmachine.

Als dit eindelijk achter de rug is, vragen de politiemannen of wij onze handtekeningen onder het proces-verbaal willen zetten. 'Alles is genoteerd zoals het is gezegd,' verzekert de agent ons. Dat kan best, maar het staat er wel allemaal in het Thais.

Wij delen hem mee dat we dat niet ondertekenen, omdat we de tekst niet kunnen lezen. Daar zijn ze niet blij mee. Ze proberen het nog met enige intimidatie, maar wij houden voet bij stuk.

Dat is, zo heb ik gemerkt, heel belangrijk hier in Thailand: zet nooit je handtekening onder iets wat je niet kunt lezen. Laat die verklaring eerst vertalen in het Nederlands, of desnoods in het Engels. Daar is allemaal tijd genoeg voor.

Zeker als je onschuldig bent en je aanklacht wilt aanvechten, is het niet best als je al op het politiebureau iets ondertekent. Er zijn mij zaken bekend waarbij echt niets tegen iemand was in te brengen, maar doordat die arrestant in vol vertrouwen zijn handtekening onder een verklaring heeft gezet, heeft hij zijn rechtszaak verloren.

Dat gaat vooral op als het om drugs gaat. Als een drugszaak eindigt in een veroordeling, dan betekent dat promotie
voor de officier van justitie die bij deze zaak als aanklager
in functie is. Voor in beslag genomen drugs betalen de Verenigde Staten ook nog eens een bonus uit! Voor elke speedpil
is dat twee of drie baht (zo'n vijf eurocent), dus als we het
over 500.000 pillen hebben, of zelfs al over 5000, is dit genoeg stimulans voor de Thai er alles aan te doen om jou achter de tralies te krijgen, ook al is het helemaal niet zeker of je
er echt bij betrokken bent. Dat maakt dan meestal niets uit.

Maar ook als je wel schuld wilt bekennen, moet je ervoor
zorgen dat je hoe dan ook de ambassade laat inlichten. Dan
kunnen medewerkers van de ambassade een vertaler voor
je regelen of een vertrouwenspersoon. Als dat allemaal niet
lukt, blijft er maar één ding over: voet bij stuk houden en
helemaal niets tekenen.

Maar de kans is groot dat je iemand tegenkomt die de
ambassade voor je kan bellen, je familie kan inlichten of
ervoor kan zorgen dat er een vertrouwenspersoon naar je
toe komt.

Natuurlijk, als ze je halfdood slaan is het goed te begrijpen als je toch je handtekening zet, maar bij ons is dat niet
het geval. Ze proberen het wel met wat intimidatie, maar
verder houden ze zich in.

We zijn bang dat er nu andere maatregelen tegen ons worden getroffen, maar dat gebeurt niet. Marco en ik worden
uiteindelijk naar beneden gebracht, naar de politiecellen on-
derin het gebouw. Daar moeten wij dertien dagen wachten.
Gedurende al die dagen zijn we niet meer verhoord.

Wel word ik opeens geroepen omdat er bezoek voor me
is. Het is om door de grond te zakken. Daar staat mijn moeder, met mijn oudste dochter Anouk. Ze is ontroostbaar als
ze weer weg moeten.

Het is wat, je kleine meid van twee jaar zo te zien huilen en om haar papa en mama te horen roepen. Daar kan niet veel meer bij. Ik voel de tranen in mijn ogen, en zie hoe mijn moeder daar staat, machteloos.

Uitgerekend een dag eerder is een advocaat langs geweest om ons te vertellen dat we op doodstraf kunnen rekenen als de rechtbank ons schuldig bevindt.

Daarna ben ik nog één keer naar boven geroepen. Ik word naar een kamer gebracht waar een Nederlandse man zit, die zich voorstelt als iemand die al acht jaar op de ambassade in Bangkok werkt.

Eerst is hij heel aardig: 'Ga zitten, meneer Kuijt. Wilt u koffie? Thee? Een sigaret?'

Hij legt ook uit dat wat er allemaal besproken wordt, niet officieel is, dat moet ik goed begrijpen. Dan vraagt hij mij of ik nog meer mensen ken die hetzelfde doen als ik. Ik antwoord hem dat ik niet weet waarover hij het heeft – en als ik het wel zou weten, zou ik het hem ook niet zeggen.

'Oké,' zegt hij dan, 'je kunt weer naar beneden toe. De ambassade zal een dezer dagen wel langskomen.'

Drie maanden later, als ik allang in de Bombatgevangenis zit, heb ik pas voor het eerst weer iemand van de ambassade gezien.

Bombat is een huis van bewaring voor alle nieuwe gevangenen die wegens een drugsdelict zijn opgepakt. Na dertien dagen in de politiecel worden we daarheen overgebracht.

Als we in Bombat een verhoorkamer binnen worden geleid, zit daar Linda's neef Samarn al. Op tafel voor hem ligt een stapel verdovende middelen.

Linda en Samarn zijn op dezelfde dag als wij in hun auto aangehouden; in de wagen is 748 gram heroïne aangetroffen.

Zij worden samen geboeid in de auto gezet, maar slagen erin zich te bevrijden en weg te rennen. De agenten gaan eerst Samarn achterna en weten hem weer te pakken te krijgen. Linda wordt de avond erna in de buurt van haar huis opnieuw gearresteerd.

Zowel Linda als haar neef heeft schuld bekend. Allebei hebben ze ons vrijgepleit van welk misdrijf dan ook. De taxichauffeur, die pas vier jaar later voor de rechtbank zijn getuigenis moet afleggen, verklaart dan trouwens precies hetzelfde.

Maar de politieagenten beweren in hun verklaringen het tegendeel. Zij geven daarbij als argument dat ze alles wisten: wij zouden die avond de heroïne op onze vlucht naar Australië meenemen. Waarop wij reageren: 'Waarom hebben jullie dan niet gewacht tot wij op onze vlucht stapten?'

Ze hebben ons al maanden gevolgd, beweren ze, maar een fatsoenlijke beschrijving van de plaatsen waar wij hebben gewoond, kunnen ze niet geven.

En het belangrijkste: er is geen enkele getuige die een verklaring tégen ons kan afleggen. Het is dan ook logisch dat wij, als onze zaak na bijna vijf jaar eindelijk voor de rechtbank komt, worden vrijgesproken.

Wij – dat zijn Marco, ik en Robert, een Australiër, de vijfde persoon die bij deze zaak betrokken is. Robert is twee maanden na ons gearresteerd. Hij moet, net als ik, na de vrijspraak nog vast blijven zitten in afwachting van een beslissing van de officier van justitie of hij hoger beroep aantekent. Marco mag nog dezelfde nacht weg.

De Thai geven voor het feit dat ik nog niet vrijgelaten word, onder meer als verklaring dat Linda mijn vrouw is. Ik heb op alle mogelijke manieren aangetoond dat wij nooit getrouwd zijn geweest, dat wij niet meer samenwonen, en dat ik inmiddels samenleef met een andere vrouw. Die heeft trouwens zelf ook voor de rechtbank getuigd.

Het mag allemaal niet helpen.

2. Intussen, in Amsterdam

Het is vrijdagavond halfzes als Ad Kuijt de telefoon pakt om een collega-marktkoopman van de Amsterdamse Albert Cuypstraat te bellen, die ziek is geweest.

'Hoe gaat het nu met je?' informeert Ad.

De ander vertelt dat hij weer gezond is, en vraagt dan onverwacht: 'Maar hoe is het eigenlijk met jullie?'

Waarop Ad heel verbaasd reageert: 'Met ons is alles goed, hoezo?'

Plotseling wordt hij grauw in zijn gezicht. Hij grijpt zich vast aan de tafel en duwt zijn vrouw Pita de telefoon in haar hand.

Dan hoort ook zij de boodschap die hun collega te melden heeft: hun zoon Machiel, die op dezelfde markt staat, is gearresteerd in Bangkok.

De wereld van Pita en Ad stort op datzelfde moment in. Pita vertelt hoe zij die eerste weken van de nachtmerrie heeft beleefd.

Ad en ik kijken elkaar aan. Het is vrijdagavond, we kunnen helemaal niets doen op dat moment. Dit is de meest bizarre manier op het meest onhandige moment om te horen dat je zoon in het buitenland gearresteerd is.

Hoe zijn we het weekeinde doorgekomen? Voornamelijk door vrijwel niets tegen elkaar te zeggen. We denken alleen maar: was het maar vast maandagochtend, dan konden we tenminste het ministerie van Buitenlandse Zaken in Den Haag bellen.

Meteen om negen uur die maandag pakken we de telefoon. Het is waar, Machiel is opgepakt. Voor mij is dan maar één ding duidelijk: ik moet zo snel mogelijk naar Bangkok om te kijken hoe het met onze zoon is. Ad en Simo, de broer van Machiel, durven het niet aan; ze zijn bang dat ze door het lint gaan als ze hem daar achter tralies zien.

Op korte termijn kunnen we gelukkig een ticket regelen en ik vlieg naar Bangkok. De reis is één lange ellende, ik ben helemaal gestrest en kan niet slapen.

In Bangkok ga ik met een taxi meteen naar de ambassade. Ik heb me nog niet gewassen of verkleed, met koffer en al ga ik er naar toe.

Op de ambassade word ik geconfronteerd met, hoe zal ik het zeggen: een loketje. Ik vertel wie ik ben en heb maar één vraag: 'Waar is onze zoon?'

Na een tijdje zoeken heeft een medewerker een papiertje gevonden, dat ik in mijn hand geduwd krijg. Hij vertelt me dat Machiel ergens op dat adres moet verblijven; daar moet ik het mee doen. Ik ben op dat moment zo verdoofd dat ik me niet realiseer hoe bot ik daar, op Nederlands grondgebied, word behandeld.

Ik zeul mijn koffer weer mee en ga op zoek naar een taxi. Ik hoop dat de chauffeur weet waar hij me naar toe moet brengen, maar anderhalf uur verder in Bangkok blijkt dat de man het echt niet weet. Wel tien keer moet hij het vragen onderweg.

Maar ik durf niet uit te stappen. Waar moet ik naar toe?

Eindelijk komen we terecht in een smerig steegje dat uitkijkt op een autosloperij. Hier kan toch niet een politiebureau zijn? Maar ik ben echt op de goede plek.

Zie mij, aangestaard door iedere Thai in de omgeving: daar staat plotseling een blanke vrouw met een grote koffer. En niemand spreekt een woord Engels.

Ik kom binnen in een vies hok. Nadat ik duidelijk heb gemaakt, zo goed en zo kwaad als het gaat, wie ik ben en wie ik wil zien, wordt me gezegd dat ik maar moet gaan zitten.

Na tijdje word ik geroepen. Ik moet mijn schoenen uitdoen – waarom weet ik niet – en daar verschijnt in de verte onze zoon.

Schreeuwend en blèrend proberen we elkaar iets duidelijk te maken, maar dat lukt niet erg.

Een Thaise politieman biedt me een kop thee aan – het smaakt allemaal nergens naar, maar ik ben er alleen maar blij mee – en zegt me op een bankje te gaan zitten. Hij zal proberen Machiel te halen.

Daar komt hij eindelijk, vastgeketend aan twee anderen, met een koffer, want ze moeten naar de rechtbank. Het gesprek duurt maar heel kort; we kunnen elkaar weinig vertellen.

Dezelfde politieman geeft mij de raad in een taxi achter hem aan te rijden naar de rechtbank.

Tot mijn verbijstering zie ik hoe Machiel met honderden anderen in een kooi wordt geladen op een open vrachtwagen. Rondom staan zwaarbewapende Thaise politieagenten.

Ik ben er achteraan gereden naar de rechtbank. Daar neemt diezelfde politieman mij mee naar een soort kooitje. Ik krijg een telefoon in mijn handen gedrukt en zie in de verte Machiel zitten, ook met een telefoon. Het enige wat ik kan zeggen, is: 'Ik ga een advocaat voor je zoeken.'

Hij zegt: 'Mam, zorg goed voor jezelf in Thailand en ga nu maar weg, want je kunt verder niks voor me doen.'

Hij heeft gelijk, ik kan op dat moment ook niets meer doen.

Ik weet niet hoe ik die nacht in mijn hotel ben doorgekomen. De volgende morgen vroeg ga ik weer op weg naar de ambassade. Eén ding is me duidelijk: ik moet een advocaat zoeken.

Dus ik vraag daar om goede jurist. Nou, die kunnen ze me wel geven. Ik krijg het adres van de advocaat die ook werkt voor de ambassade.

Ik ga naar hem toe, een alleraardigste man, en hij hoort mijn verhaal aan. Dan vraagt hij in eerste instantie 60.000 gulden. Waar haal ik in godsnaam zoveel geld vandaan? Ik heb gebeden en gesmeekt of hij het niet voor minder kan doen, maar daar is geen sprake van.

Ik besef dan dat er in Thailand niets meer voor mij te doen is, dus ik ga terug naar Nederland om daar een andere advocaat te zoeken. We vinden uiteindelijk een Amerikaan die samenwerkt met collega's in Thailand en het voor de helft van de prijs doet.

Deze man is betaald door geld dat heel veel vrienden bij elkaar hebben gezocht. Maar tot nu toe heeft hij wel het bedrag opgestreken, maar nog nooit iets gedaan.

De tijd gaat voorbij zonder dat er iets gebeurt. Ik voer intussen talloze gesprekken met het ministerie van Buiten-landse Zaken in Den Haag, maar daar wordt mij steevast gezegd: 'Stille diplomatie, mevrouw Kuijt, het komt nu aan op stille diplomatie.' Alles wat we zelf zouden ondernemen, zou de zaak van Machiel alleen maar schaden.

Totdat ik een brief van Buitenlandse Zaken krijg met de mededeling dat er open dagen zijn in de Thaise gevangenis. Dat betekent dat ik eindelijk een keer normaal met Machiel kan praten en hem zelfs kan aanraken. Dat lijkt me einde-loos. De vrouw bij Buitenlandse Zaken die deze zaken be-handelt, zij is steeds bijzonder aardig, vertelt mij zelfs dat ik hem zou ontmoeten in een soort tuintje.

Op dus naar Thailand. De papieren zijn aangevraagd, alles is precies geregeld, zo heeft het ministerie mij verzekerd.

Ik haal de papieren op bij de ambassade en ga naar de gevangenis met een koelbox met allerlei drank en levensmiddelen die hij anders nooit kan krijgen, om hem een beetje op de been te houden.

Maar bij de gevangenis deelt het bewakingspersoneel mij mee dat ik er niet in kom. Een man zegt in gebrekkig Engels: 'De papieren zijn niet in orde, gaat u maar weer.'

Ik kan daar een telefoon gebruiken en bel de ambassade. Daar krijg ik Jules van der Rest aan de lijn, een medewerker van de consulaire afdeling, die ik al eerder heb gesproken.

Ik ben woedend: je bent zo gespannen als ik weet niet wat, je vliegt twaalf uur over de halve wereld om eindelijk je zoon een keer te kunnen zien en aanraken, en dan kloppen de papieren niet. Je zoon zit binnen en weet dat zijn moeder voor hem komt, en jij staat daar buiten in de bloedhitte, te midden van allemaal mensen die je niet verstaan, en je kan hem niet eens even een boodschap doorgeven.

Maar die meneer Van der Rest heeft de moed mij te vertellen dat ik niet zo'n toon moet aanslaan, anders legt hij de telefoon neer.

Ik zeg: 'Dat moet je doen, nu! Ik ben bij je zodra ik door Bangkok heen ben.' Met koelbox en al ben ik meteen in een taxi gestapt.

Op de ambassade word ik voor het eerst niet aan een loketje ontvangen. Een andere ambassademedewerker, Jaap Koedood, biedt zijn verontschuldigingen aan en is vervolgens bijna twee uur bezig om te regelen dat ik de volgende dag tóch binnengelaten kan worden. Hij krijgt het voor elkaar.

Maar als dat nou de enige keer zou zijn...

Een tweede keer word ik weer niet binnengelaten in de gevangenis, omdat de papieren niet in orde zijn. Dan vraag ik me af: weten die mensen op de ambassade wel hoeveel ellende ze iemand bezorgen door gewoon een simpel formulier niet fatsoenlijk in te vullen? En dat ze iemand die toch al zo in de zenuwen zit, het leven iets gemakkelijker kunnen maken? En een derde keer deelt Jules van der Rest mee dat er geen papieren meer vereist zijn voor een bezoek tijdens open dagen. Ik zeg: 'Dat is onmogelijk, in Thailand heb je voor alles een papier nodig.' De vriendelijke mevrouw op het ministerie trekt het nog een keer na, maar nee, Van der Rest verzekert dat er geen papieren meer nodig zijn.

Ik denk: of ik ben gek, of ze zijn daar gek geworden. Toch ga ik maar weer vol vertrouwen naar Thailand toe. De eerste dag is het nog een 'normaal' bezoek, achter glas en tralies.

De mensen in de gevangenis die het bezoek regelen, kennen me langzamerhand. Als ik nog eens bij hen informeer of er voor het open bezoek geen papieren meer nodig zijn, kijken ze mij verbaasd aan. Een van hen zegt in gebrekkig Engels: 'Mevrouw Kuijt, hoelang komt u hier nu al. U weet toch dat u die papieren moet hebben.'

Op dat moment breekt er wat in mij.

Ik ben naar mijn hotel teruggegaan en heb van daaruit het ministerie in Den Haag gebeld en ze precies het hele verhaal verteld. In Den Haag regelen ze uiteindelijk dat Jules van der Rest met mij contact zal opnemen en mij de volgende dag persoonlijk de gevangenis binnen moet brengen.

Van der Rest belt me inderdaad en belooft dat hij mij toegang tot de gevangenis zal bezorgen. 'Hoe laat moet ik bij u zijn?'

'Wel,' antwoord ik, 'je moet om acht uur hier zijn.'

Hij sputtert nog wat tegen over de verkeersdrukte en zo, maar ik blijf erbij: 'Dan sta je maar wat eerder op, jochie.'

Die volgende ochtend staat hij inderdaad om acht uur voor het hotel. Tijdens de rit naar de gevangenis heerst er – begrijpelijk – een ijzig stilzwijgen.

In de gevangenis wil Van der Rest mij naar Machiel loodsen voor het bezoek. Hij gaat in het Thais in discussie met de man die het bezoek regelt. Ik zie het gezicht van de bewaker betrekken en weet dan al wat er aan de hand is.

'Is er iets?' vraag ik hem in het Engels.

'Mevrouw Kuijt,' zegt hij opnieuw, 'u weet toch wat voor papieren u nodig hebt? Ze zijn niet in orde.'

Op dat moment gebeurt er iets heel raars. Ik voel dat ik Van der Rest ter plekke wil vermoorden. Maar in de stilte die is gevallen, realiseer ik me ook dat dat wel heel dom zou zijn.

Nog nooit heb ik iemand zo snel een ruimte zien verlaten. Ik roep hem na: 'Met jou ben ik nog niet klaar! Jou vergeet ik nooit!' en ben gaan zitten janken. Wat moest ik?

Die Thai zegt: 'Ga even wat lopen en wat drinken, en kom om één uur terug. Ik zal intussen zien wat ik voor je doen kan.'

En inderdaad, hij heeft geregeld dat ik 's middags naar binnen kan. Hij, niet de ambassade. Bij alle ellende die je moet doormaken, kan dit dus ook nog allemaal gebeuren, terwijl het helemaal niet nodig is.

Ik neem het de mensen op het ministerie niet kwalijk. De vrouw met wie ik daarover steeds contact heb, is heel aardig.

Maar ik heb Buitenlandse Zaken wel gesuggereerd de mensen die erover gaan een keer naar Bangkok (of waar ook ter wereld) te sturen om daar de gevangenis te bezoeken, zodat ze er zelf wat beter over kunnen oordelen.

Dat heeft het ministerie zich kennelijk aangetrokken, want nu gebeurt dat ook. De medewerkers die zijn uitgestuurd, komen werkelijk geschokt terug. Nu weten ze waarover ze praten.

Maar het is wel belachelijk dat ik ze die suggestie heb moeten doen.

3. Bombat: de eerste lessen

Na de dertien dagen in de cel van het politiebureau komen mijn Italiaanse vriend Marco, Samarn, de neef van Linda, en ik rond halfzeven 's avonds aan bij de Bombatgevangenis, het is al bijna donker. Eerst moeten we door een paar poorten heen.

Het ziet er zowaar nog redelijk uit. Het lijkt op het eerste gezicht een soort straatje met overal hekken, ook om de twee rijen gebouwen.

Op een binnenplaats worden we gefouilleerd en moeten we onze broeken en slippers afgeven. Eigenlijk moeten we alles inleveren, behalve een T-shirt en een kort broekje. Op blote voeten gaan we verder naar gebouw 3.

Daar moeten we ons snel wassen – dat houdt in: een kom water over je heen gooien, want zeep of zoiets is er niet.

Vervolgens moeten we aan een tafel gaan zitten, waar het gevangeniseten wordt opgeschept. Snel eten, krijgen we te horen. Nou, denk ik, het zal me benieuwen of dat lukt, want het voedsel ziet er niet uit en het ruikt nog minder. Maar ik weet nog niet hoe alles hier in zijn werk gaat, dus ik neem een hap. Dat is meteen genoeg.

We worden uiteindelijk ondergebracht in het hospitaalgebouw aan de overkant. Daar worden we op de eerste verdieping in een kamer gestopt met zeker zeventig man, terwijl die ruimte geschikt is voor niet meer dan dertig, denk ik. De andere kamers zijn ook zo volgepropt.

Met de ruggen tegen elkaar en de benen opgetrokken gaat het net, en zo zijn we met zijn allen de nacht doorgekomen.

De meeste anderen zijn jonge Thai. Ze vragen van alles aan me. Het enige waar ik me op kan concentreren, is zorgen dat ik genoeg ruimte heb om te zitten – dat is al heel wat.

's Morgens rond halfzeven gaat de cel open en loopt iedereen naar beneden. Wij volgen dus maar.

Bij daglicht wordt wat duidelijker hoe deze gevangenis in elkaar zit. Elk gebouw in Bombat is in feite een betonnen bak van zo'n 60 meter lang en 25 meter breed. Er zitten vijfhonderd man in een gebouw, dus veel ruimte heb je niet. Wij lopen maar wat rond, er is echt niks te beleven. De andere gebouwen kunnen we niet goed zien.

Dan worden we opgeroepen om naar de kapper te komen, waar wij kaal worden geschoren. Ik realiseer me: ik weet niet hoe lang dit gaat duren, maar als ik het hier een lange tijd moet zien uit te houden, mag ik wel goed oppassen dat ik er niet onderdoor ga. Alles is hier zo klein en zo overbevolkt, en er is geen enkele voorziening.

Ineens steekt een buitenlander die in gebouw 2 zit, zijn hoofd boven de muur. Hij zegt dat we waarschijnlijk over een paar dagen overgeplaatst worden naar de gebouwen 4 en 5, omdat die zijn bestemd voor ernstige delicten, in elk geval voor mensen die straffen van meer dan 25 jaar krijgen als ze schuldig worden bevonden.

Nog diezelfde middag worden we overgeplaatst, Marco en Samarn moeten naar gebouw 5, ik verhuis naar gebouw 4. Het is nog geen tien meter verderop.

Als ik het hek door ben, zie ik gelukkig wat westerlingen. Gebouw 4 is bestemd voor ernstige drugsdelicten, maar het ziet er daar wat levendiger uit dan het hospitaalgebouw. Ik moet me melden bij de baas van het gebouw, de *building-chief*.

Die avond zitten we weer als sardientjes op elkaar gepakt in de cel. Een oudere Chinese Thai die Engels spreekt, waarschuwt me fluisterend: 'Pas op met slapen.' Dus ik doe helemaal geen oog dicht.

Die nacht spoken er allerlei gedachten door mij heen. Die twee Thai die zo'n beetje tegen me aan zitten, vertrouw ik helemaal niet. Niettemin kom ik ook deze nacht weer door.

De volgende dag leer ik wat mensen kennen, en ik merk dat dat het leven in de gevangenis een stuk draaglijker kan maken. Van een aantal andere buitenlanders krijg ik niet alleen allerlei vragen op me afgevuurd, maar ook een beetje te horen hoe alles reilt en zeilt hier binnen.

Eén ding is duidelijk: geld heb je nodig! Voor al je eerste behoeften, voor eten, voor drinken, voor een matras. Er is altijd wel iemand die je eerst een bedrag voorschiet; dat betaal je naderhand terug, zodra je een keer bezoek hebt gehad.

Ik ga bij een groepje Chinezen eten; we betalen alles samen.

Die avond koken William en ik. William komt uit Singapore en is nu nog steeds een van mijn beste vrienden.

Hij is al na een jaar naar de Bangkwanggevangenis vertrokken, nadat hij tot levenslang is veroordeeld, maar we hebben altijd contact gehouden. Doorgaans zijn William en ik degenen die na het eten de borden afwassen.

Na een paar dagen leer ik een beetje hoe het Thaise rechtssysteem in elkaar zit. Elke twaalf dagen moet je naar de rechtbank toe. Dat gaat zo in totaal acht keer, en dan krijg je te horen of de Thaise justitie een rechtszaak tegen je aanspant, of dat je mag vertrekken.

Dat bezoek aan de rechtbank is elke keer een ramp. Je wordt met kettingen om je benen en handboeien om in een bus gezet. Die is normaal voor zestig personen bestemd, maar we worden er rustig met tussen de honderdtien en honderddertig man in gepropt.

In de rechtbank word je weer in een cel gegooid. Dan moet je wachten tot ze je naam afroepen, mag je je handtekening zetten en wachten op je busrit terug.

Al die tijd mag ik op een bankje zitten, samen met mijn *casepartners*, dat zijn de mannen die in dezelfde zaak zijn beschuldigd, Marco dus en Linda's neef Samarn.

Al snel besef ik dat mijn Thais beter moet worden, omdat ik totaal niet weet wat er wordt gedaan en gezegd. De verhalen over Thaise advocaten die ik hoor, zijn ook niet al te best. Normaal gesproken behoort een advocaat je vertrouwensman of -vrouw te zijn. Hier zijn ze in de meeste gevallen er vooral op uit je geld af te pakken, en liefst zo veel mogelijk.

Mijn advies luidt dus: betaal een advocaat alleen voor datgene waarover je tevreden bent. Geloof ze niet als ze beloven: 'Geef me dit en dit bedrag, en ik haal je er zeker uit.' Zekerheid heb je hier niet, en al helemaal niet van een Thaise advocaat.

Als een advocaat je garandeert dat hij je eruit zal halen, dan is het heel gemakkelijk dat in een contract te laten vastleggen of via de ambassade overeen te laten komen. Dan is hij er ook van verzekerd dat hij zijn geld krijgt als hij doet wat hij belooft. Maar wil hij zo'n contract niet, geloof hem dan ook maar niet.

Na die rituele acht bezoeken aan de rechtbank maken ze bekend dat ze me niet laten gaan en een rechtszaak tegen mij beginnen.

Ik heb uiteindelijk vijfeneenhalve maand in Bombat gezeten. Daar ben ik ook ontzettend ziek geworden. Iedereen krijgt daar in de gevangenis op een gegeven moment wel last van, als gevolg van het vervuilde water, de belabberde hygiene, het slechte voedsel en vooral de stress waar je lichaam aan moet wennen.

31

Ik krijg het na viereneenhalve maand. Ik heb mij een maand lang haast niet kunnen bewegen. Je hebt totaal geen puf meer.

Dus ik ben blij dat ik een halfjaar na mijn arrestatie Bombat moet verlaten.

Ik heb gezien hoe Thaise gevangenen daar worden geslagen door bewakers. Ik heb er mensen zien doodgaan. Het is er superslecht.

4. Lardyao: in de sloppenwijk

Meer dan zes jaar heb ik doorgebracht in de Lardyaogevangenis. Dan pas word ik, na mijn veroordeling tot levenslang, naar de Bangkwanggevangenis overgebracht. Tweederde van de totale tijd die ik in Thailand gevangen heb gezeten, maak ik dus in Lardyao door. Ik beleef daar ontzettend veel, maar moet er ook heel wat ellende overwinnen. Toch kijk ik, ondanks alles, terug op een goede tijd in Lardyao. Ik ben de zorgen en de emoties van die jaren alweer grotendeels vergeten.

Als ik te horen krijg dat ik word overgeplaatst naar Lardyao, ben ik wat blij. Daar is het, voor zover ik op dat moment weet tenminste, beter dan in Bombat; dat huis van bewaring is echt een verschrikking, zo klein en overvol.

In Lardyao zijn de gebouwen groter. Er is veel meer groen, er groeien bomen en struiken, en dat heeft toch wel een positieve invloed op gevangenen, denk ik.

De overplaatsing heeft langer op zich laten wachten dan me lief is. Ik weet nog dat mijn moeder in juli 1997 op bezoek is in Bombat, ik zit dan net een paar maanden vast. Bij dat bezoek waarschuw ik haar: 'Schrijf maar niet meer, ik word naar Lardyao overgeplaatst en laat je wel weten als ik daar zit.' Ik heb immers niet voor niets een bedrag betaald voor die versnelde overplaatsing.

Toch duurt het al met al nog drie maanden. Ik ga uiteindelijk gewoon via de normale procedure. Het is weggegooid geld geweest; de bewaker zal er wel een avond leuk van zijn gaan stappen of zo. Ach, er zijn ergere dingen.

33

We worden met een man of vijftig tegelijk overgeplaatst. Ik weet dat ik ervoor moet zorgen niet in gebouw 3 terecht te komen; dat is een afdeling die vol zit met gekken en zieken en het is er smerig.

Dan worden alle namen afgeroepen. Eerst voor gebouw 6, vervolgens voor gebouw 5 en 4. En ja hoor, de laatste naam op de lijst voor gebouw 3 ben ik. Met een groep Chinezen en een Nigeriaan moet ik daarheen.

Het is dan rond vier uur 's middags. We moeten meteen de cel in met veertig man. Dat is niet echt gezellig, om het zo maar eens te zeggen.

En 's avonds is het hetzelfde liedje, maar dan ook nog met kettingen om je benen. Weer moet ik een nacht in een cel doorbrengen die niet echt veel overhoudt.

De volgende dag gaan we met de hele club naar beneden, naar buiten. Er komen meteen een heleboel mensen op me af met allerlei vragen: 'Waar kom je vandaan? Weet je hoe het hier allemaal werkt?' Ik ben kennelijk een interessante nieuwkomer.

Maar langzamerhand gaat alles een stukje beter, ik merk dat je hier al snel begint te wennen. Zo gaan een zaterdag en zondag voorbij.

Op maandag zoekt de buildingchief van gebouw 3 ons weer op. We weten al wat hij komt doen: hij gaat ons vragen te werken, maar dat weigeren wij. We zijn uiteindelijk nog niet veroordeeld.

Voor straf moeten we de hele dag tegenover zijn kantoor zitten. Als je weg wil, bijvoorbeeld om naar de wc te gaan, moet je daarvoor toestemming vragen. Niemand mag met ons praten.

Maar de gekken in gebouw 3 trekken zich daar niets van aan en komen gezellig bij ons koffie drinken en een sigaret roken. Zelfs als de baas een touw om ons heen spant en een bord ophangt met de tekst 'Niet praten met deze mensen', hebben ze daar maling aan; ze springen gewoon over het touw heen. Ja, die gekken vinden ons wel prima lui, geloof ik, tot ergernis van de baas.

Bijna twee weken heb ik in gebouw 3 gezeten, tot mijn aanvraag wordt ingewilligd om naar gebouw 2 overgeplaatst te worden.

Die afdeling is stukken beter. Er zitten meer buitenlanders, en die hebben daar een soort eigen binnentuin ingericht met zelfgemaakte huisjes. Het lijkt warempel net een sloppenwijk in het klein, zoals we die kennen uit Brazilië of Zuid-Afrika. Het is een gewemel van hutjes en steegjes, er speelt zich daar altijd wel wat af en dat betekent in elk geval een boel afleiding.

We scheppen daar zo ons eigen wereldje. Er zijn mensen die tegen betaling eten klaarmaken en een soort restaurantje drijven. Er is een sportgelegenheid. Er wordt stevig gegokt. We hebben vier verschillende kerken. Je kan je zelfs in deze drukte af en toe afzonderen.

In deze zelfgecreëerde chaos verblijven meer dan tweehonderd Afrikanen en verder veel Aziaten, vooral Chinezen en Birmezen, en wat westerlingen. Van die laatsten is, schat ik, tachtig procent verslaafd.

Ik denk dat er in de binnentuin zeker twee kilo heroïne ter beschikking is van de gebruikers. Die tuin is het domein van de buitenlanders. De Thai mogen er eigenlijk niet in komen, maar toch ontstaan er steeds problemen met ze.

Af en toe rennen er een paar Thaise junks naar binnen om een dealer van zijn spul te beroven. Wie weet zijn zij eerder door diezelfde dealer opgelicht.

Er zijn zelfs junks uit de tuin die hun troep aan de Thai verkopen om met de opbrengst weer hun eigen spul aan te kunnen schaffen. Dat loopt na een tijdje altijd fout. Steeds worden er lui opgepakt wegens de verkoop of het gebruik van drugs. Intussen deinzen die kleine Thai die geen geld hebben voor die troep, er niet voor terug iemand neer te steken als ze het niet snel genoeg krijgen. Van dat risico is iedereen zich maar al te goed bewust.

De Thai hebben hun eigen plek bij de eethal. Daar lopen ze rond, als ze er niet in een rij zitten om met hun spuiten in de weer te zijn. Dat is een raar gezicht als je voor het eerst binnenkomt: al die jongens op een rij met hun naalden. Niemand kijkt er verder van op of om.

In het algemeen heb ik altijd wel met de Thai op kunnen schieten. Je loopt na verloop van tijd door het hele gebouw rond en komt dan allerlei mensen tegen, met wie je het moet zien te vinden. Natuurlijk ontstaan er ook wel problemen, met Thai evengoed als met buitenlanders. In dat geval maakt het overigens niets uit of je groot en sterk bent.

Als het erop aankomt, kun je je er toch niet tegen beschermen als iemand anders je echt iets wil aandoen. Ik heb de kleinste Thai een grote man zien toetakelen. Je komt wat dat betreft soms ogen te kort.

Maar dit soort vechtpartijen gaan meestal tussen Thai onderling. Ze zijn doorgaans het gevolg van ofwel drugs, ofwel 'vriendinnetjes' (oftewel Thaise *ladyboys*, in de eigen taal *katoi*), of van geldkwesties. Het gaat soms om niet meer dan twintig baht, een paar dubbeltjes.

Die katoi, tot vrouw omgebouwde mannen, zijn een heel opmerkelijk Thais fenomeen. In de gevangenis vormen zij een wereldje apart, waarin zij zich op de been houden door zich voor geld aan een andere gevangene te binden of zelfs betaalde seks aan te bieden.

Er is, kortom, in gebouw 2 heel veel afleiding. Ik ben achteraf blij dat ik de eerste vijf jaar daar heb mogen doormaken.

Er zijn zelfs momenten, als ik een keer er niet te veel aan denk hoe het buiten de gevangenis is, hoe het met mijn familie gaat, met de mensen van wie ik houd – ja, op die momenten heb ik me in Lardyao echt wel goed gevoeld. Maar denk niet dat het allemaal zo vrolijk is daar. Integendeel. Er komen van tijd tot tijd steekpartijen voor, er worden mensen krankzinnig, anderen krijgen aids als onvermijdelijk gevolg van het delen van naalden. Ik heb in die jaren heel veel gevangenen dood zien gaan, op alle mogelijke manieren, door allerlei oorzaken.

Ik heb bewakers ongelooflijke pakken slaag zien uitdelen aan Thai of Laotianen of Birmezen. Vooral de mannen uit Laos en Birma vormen echt de laagste categorie in de gevangenis.

Zij krijgen geen enkele bijstand van hun land en ontvangen ook nooit bezoek. Zij krijgen van niemand spullen, laat staan geld. Zij kunnen alleen overleven door hun diensten aan te bieden aan andere gevangenen.

Na mijn vijf eerste jaren in Lardyao heeft de Thaise regering begin 2003 in alle gevangenissen een grote schoonmaak gehouden. De autoriteiten willen dan een radicaal einde maken aan de aanwezigheid daar van verdovende middelen. Deze operatie is een onderdeel van de oorlog tegen drugs in het hele land, die minister-president Thaksin Shinawatra heeft uitgeroepen.

Voor de situatie in de gevangenis is dat aan één kant goed. Die eerste jaren heb ik gemerkt dat het gemakkelijker is aan drugs te komen bínnen de gevangenis dan erbuiten. Dat is de bron van ontzettend veel problemen in de gevangenis. En intussen steken de bewakers en al die lieden die drugs verkopen, er behoorlijk wat geld van in hun zakken.

Sinds de grote schoonmaak is er aanzienlijk minder rottigheid in Lardyao en komen er minder ziekten voor. Er is minder aids, en de mensen hoeven niet de gekste dingen te doen om maar aan hun shot te komen.

Bij de grote opruiming wordt ook onze tuin, met al zijn hutjes en steegjes, radicaal platgegooid. Alle buitenlanders moeten tijdelijk naar andere gebouwen. Er zijn keurig tekeningen gemaakt van de nieuwe inrichting, en op papier ziet het er goed uit voor de gevangenen.

Maar tegelijkertijd worden alle gedragsregels in de gevangenis ook strenger. Er wordt paal en perk gesteld aan het zelf koken en aan het ontvangen van pakketten. Je mag nog maar eens per week gedurende twintig minuten bezoek krijgen. En als er 's middags iemand komt terwijl er 's morgens al een bezoeker voor jou is geweest, dan komt die tweede er niet in. Dat is lekker stimulerend voor mensen om eens een gevangene te bezoeken.

Lardyao is door al die maatregelen eigenlijk een verlengstuk van Bombat geworden.

Hoe superprimitief het ook gebeurt, het zelf koken is een van de belangrijkste dingen voor de gevangenen, net als het ontvangen van pakketten met levensmiddelen. Ze zijn er toen mee gestopt vanwege de SARS-epidemie, zeggen de autoriteiten.

Dit alles maakt het leven er niet beter op. Je denkt dan: waarom moet dit nu? De mensen zitten hier ontzettend lang. Wanneer het dagelijkse regime dan zoveel strenger wordt, ontstaat er vanzelf meer stress.

Ook als ze zich netjes en inschikkelijk gedragen, krijgen de mensen er niets voor terug, nog geen stukje zeep. Dan is het dus geen wonder dat ze alleen maar sneller opgefokt raken; ze springen uit de band en doen elkaar eerder ellendige dingen aan. En niemand komt hier weg.

Van het drugsvrij maken van ons gebouw hebben ze een hele ceremonie gemaakt. Onze buildingchief, Kerin heet hij, komt plechtig binnen met heilig water van een of andere tempel. Iedereen kan een glas water nemen en beloven dat hij geen drugs meer zal gebruiken of verkopen.

Die buildingchief houdt er natuurlijk een grote toespraak bij en giet als eerste een slok van dat heilige water naar binnen. Nu is uitgerekend hij zo corrupt als maar kan, en inwendig moet ik erom lachen.

Maar wat hij doet of heeft gedaan, interesseert me verder niet. Hij is een deel van het systeem zoals het hier al jaren bestaat. Er komt dan misschien verandering in wat betreft verdovende middelen, maar voor het overige blijft de hele gevangenis draaien op corruptie.

De eerste anderhalf, twee jaar in de gevangenis heb je hard nodig voor een aanpassingsproces, heb ik gemerkt. Dan leer je hoe alles werkt. Je raakt dan vanzelf ook je onrust kwijt.

Want ook in Lardyao ervaar je hoe beperkt het leven in de gevangenis is. Niets is zeker, elke dag is er één. Het is van wezenlijk belang positief te blijven en te proberen hoe dan ook iets van je leven daar te maken.

Je zou nu eenmaal van alles willen regelen, en liefst snel ook, maar je merkt dat dat niet gaat. Keer op keer krijg je daardoor een tegenslag te verwerken. Dan leer je op een gegeven moment wel dat in de gevangenis niets is zoals je denkt dat het is.

Alles gaat er langzaam of moeilijk. Pas als je dat weet en hebt geleerd het te accepteren, kom je in een volgende fase. Dan ga je de dingen wat realistischer inzien. Je gaat jezelf ook meer indekken, bij alles houd je er rekening mee dat het straks ook voor jou van belang kan zijn.

Per slot van rekening is de kans groot dat je hier nog jaren moet doorbrengen, dus is het raadzaam alvast te beseffen wat je met al die tijd gaat doen.

Zelfs een week is lang als je het niet meer ziet zitten, als je gedeprimeerd wordt – laat staan wat jaren dan betekenen.

In de eerste jaren, de tijd dat alles nog kan, runt een man uit Singapore, Michael Ton Chin Ho, in gebouw 2 een koffieshop waar hij koffie en andere drank verkoopt. Michael is een van een groepje van vijf mannen met wie ik optrek. We hebben onze eigen plek, we eten samen en maken van alles mee met elkaar.

Deze Michael heeft goed geld verdiend met het runnen van die koffieshop, maar ook de bewakers leven er prettig van. Zo gaat dat daar in de gevangenis.

Maar ineens wordt Michael ziek. Binnen een maand is hij overleden, 42 jaar oud.

Nu word ik in de Thaise gevangenis ook Michael genoemd, omdat ze Machiel over het algemeen niet kunnen uitspreken. Als we op een middag weer eens de cel in moeten om te worden geteld, komt een van de bewakers langs die ontzettend van die Michael uit Singapore heeft geprofiteerd. Hij kijkt in de cel en zegt: 'Ah, Michael Ton Chin Ho! O nee, Michael Kit, sorry, ha ha!'

Ja, op dat moment kun je hem wel wurgen, natuurlijk.

Een koffietentje runnen in de gevangenis – dat klinkt raar, maar in Thailand is dat niet bijzonder. Want alles wat je wilt ondernemen om je situatie te verbeteren of het leven wat aangenamer te maken, moet je als gevangene zelf regelen – en zelf betalen. Daar is het Thaise gevangenissysteem helemaal op ingericht, dat heb ik in Bombat al geleerd.

Ja, de Thaise autoriteiten geven de gevangenen wel te eten, maar dat is een soort voer dat iedereen liever laat staan. Wie maar een beetje geld heeft, koopt zijn eigen eten. Maar geld heb je alleen als je hulp van buitenaf hebt. Moet je het zonder die bijstand stellen, dan kun je maar één ding doen: jezelf nuttig maken voor anderen die wél geld hebben, zodat je je eigen eten en spullen voor je hygiëne kunt kopen, want een stuk zeep of tandpasta krijg je hier niet. Ja, misschien één keer per jaar een donatie van een of ander steuncomité.

Voor gevangenen zonder geld, meestal die uit Thailand zelf, uit Birma en Laos, is het zaak hand- en spandiensten te verlenen aan anderen, spullen voor ze op te halen, hun kleren schoon te maken of wat dan ook.

Iedere Thaise gevangene moet normaal gesproken werken. Daarvoor zijn in de gevangenis drie fabrieken neergezet. Het is allemaal lopendebandwerk.

De Thai moeten bergen werk verzetten, bijvoorbeeld honderd paar schoenen per dag in elkaar naaien. Wie zijn werk niet af heeft, krijgt straf. Met die arbeid verdienen ze ongeveer tachtig baht per maand – daar koop je nog geen pak koffie voor.

Dus iedere Thai die wel over geld beschikt, betaalt de fabriek waar hij is ingedeeld pak hem beet vijfhonderd baht per maand om ervoor te zorgen dat iemand anders zijn werk doet.

Geld heb je verder nodig voor alles wat je hier heel goed kunt gebruiken: schoon water om je te wassen, een ventilator in de cel zodat het wat koeler is, en meer van dergelijke zaken die eigenlijk onmisbaar zijn.

En bij dat alles komt dan ook nog wat geld voor de bewaker die over jouw afdeling gaat. Immers: geen geld, geen extra's.

Wij krijgen gelukkig geld en spullen van de ambassade, wanneer iemand daarvan op bezoek komt. Het geld is voor het grootste deel een lening, geen gift. Daarom heb ik het eerst nog geweigerd. Maar mijn ouders kunnen echt niet alles voor mij betalen.

Nederlandse gevangenen krijgen elke drie maanden een bedrag bijgeschreven, ongeveer honderd euro per maand. Dertig euro hoeven we daarvan niet terug te betalen; de rest moet je aflossen als je weer vrij bent.

Bij het afleveren van spullen die je hebt besteld, gaat de eerste jaren zo vaak iets mis dat ik denk: 'Doen jullie het erom, of hoe zit dat?'

Je vraagt de ambassade bijvoorbeeld bepaalde spullen te laten kopen bij de gevangeniswinkel, zodat je daarmee je schulden kan voldoen die je binnen de gevangenis hebt in te lossen. Maar dan wordt steevast niet dat gebracht wat je hebt gevraagd.

Het is toch niet zo moeilijk: tien sloffen sigaretten, postzegels, tien pakken koffie enzovoort. Maar dan krijg je drie sloffen sigaretten en vijf pakken koffie, of zo.

Als ze de volgende keer op bezoek komen, vraag ik waarom niet de spullen zijn gebracht die ik heb gevraagd.

'O sorry,' is het antwoord, 'de chauffeur heeft het verkeerd gedaan.' Lekker hè!

Maar dit soort dingen bezorgt je in een gevangenis alleen maar nodeloze opwinding. Dan zeg ik op een gegeven moment: 'Als je het niet wilt doen, zeg het dan gewoon, dan kan ik er rekening mee houden.' Als ik mijn dochtertje een briefje meegeef, koopt die hoogstwaarschijnlijk wél de juiste dingen.

In Lardyao delen we met vier man een cel van nog geen vijf bij twee meter. We doen daar de malste dingen om een beetje leuk de tijd door te komen.

Dan zetten we bijvoorbeeld op de rand van het muurtje dat het toilet van de cel afscheidt, een leeg Thais colablikje. Verder hebben we een soort oliebolletjes ter grootte van een pingpongbal, die door Nigerianen worden gebakken voor bij de koffie, maar die na een uur net stuiterballen zijn geworden.

Een Mexicaan met wie ik een paar jaar de cel heb gedeeld, is een goede honkballer. Hij staat bij de deur, en als hij in vijf slagen een blikje om kan krijgen, wint hij een pakje sigaretten. Lukt het hem niet, dan verliest hij één sigaret. Hij gaat helemaal op in het spel.

We hebben met ons vieren de grootste lol. Opeens staat er een bewaker achter de deur. Hij kijkt naar die vier buitenlanders met een blik alsof hij denkt dat ze niet helemaal goed bij hun hoofd zijn, of misschien wel onder invloed, ja, zodat hij ze de volgende ochtend in de cel misschien kan pakken op iets verbodens en ze een interne straf kan bezorgen. Dat zou mooi zijn!

Sommige bewakers zijn echt vreselijk, andere juist niet, maar over het algemeen zijn wij stront voor hen. Maar andersom denk ik hetzelfde over de bewakers.

In diezelfde tijd hebben we last van een rat die 's avonds door het toilet de cel in kruipt. Een van mijn celgenoten is knetterhigh van de hasj, die er dan nog in overvloed is. Hij gaat op de rand van het muurtje zitten wachten op zijn vriend de rat die uit het toilet moet komen, en belooft: 'Dit keer pak ik hem!'

Dat eindigt al snel in een geweldige lachbui. Zo'n aanval van de slappe lach komt nogal eens voor. Het kan door van alles komen. Ja, zeker ook als we een pretsigaret hebben gerookt uiteraard, en hem behoorlijk te pakken hebben.

Zo zitten we een keer een pornofilm te kijken, terwijl een van de celgenoten juist dan een enorme schoonmaakwoede krijgt – dat overkomt hem steevast als hij troep heeft gerookt.

De cel is zo klein dat hij steeds voor het beeld loopt, wat knap hinderlijk is voor een ander die zich op de wc zit af te trekken en niets van de film wil missen. Dan hebben wij weer de grootste lol.

Om tien uur 's avonds wordt de stroom uitgeschakeld. Niet dat het licht in de cel dan uitgaat, dat gaat nooit uit, maar we kunnen dan geen tv meer kijken.

De bewakers schakelen rustig de stroom uit midden in een televisie-uitzending van de wereldkampioenschappen voetbal waar we naar zitten te kijken. Ze hebben er echt lol in dat wij die dan niet verder kunnen zien.

Al snel krijg ik te horen hoe je de elektriciteit van de tl-buis in de cel kan aftappen. Wij zijn dan enorm in onze sas dat we toch televisie kunnen kijken, of bijvoorbeeld water kunnen koken in de cel.

Op een zaterdagavond is er om kwart over tien thaiboksen op de televisie. Ik klim weer via de deur naar boven, maar dit keer gaat het mis. Er volgt een zware klap en ik lig meteen beneden op de matras van mijn celgenoot. Het licht in onze cel en zelfs in de drie cellen ernaast is uit.

Ik hoor de neef van Linda, die dan ook in onze cel zit, bezorgd vragen: 'Kiel, Kiel, is alles oké?' – *Chiel* kan hij niet uitspreken. Ik weet het zelf niet eens, maar even later blijkt dat bij mij alles nog oké is, ja.

Later zijn de bewakers natuurlijk heel benieuwd hoe dat gekomen is, al die lichten uit. Maar weten wij veel? Wij sliepen toen al.

Dat zijn gebeurtenissen die je niet vergeet. Ach, het zijn misschien stomme dingen, maar ze kunnen soms je dag maken of breken. Of je hele week.

Als de leiding van de gevangenis je een keer nodig heeft, dan is niets te veel. Bij de eerste keer dat er thaibokswedstrijden worden gehouden, doen ze van alles om mij mee te laten doen. Maar ik denk: 'Mooi niet. Ik ga niet voor jullie boksen, voetballen of wat dan ook.' Dat wordt toch alleen maar

44

gebruikt om naar buiten te rapporteren: 'Zien jullie wel, de gevangenen kunnen hier sporten en zien er prima uit.'

Aan de andere kant, of ik nu wel of niet meedoe, die boodschap dragen ze toch wel uit. Waarom zou ik het dan niet doen? Dus ik besluit: ik doe het voor mezelf en niet voor de gevangenisdirectie.

Ik heb uiteindelijk met drie wedstrijden meegebokst, ik ben daar zelfs kampioen geworden. Onze buildingchief vindt dat wel leuk, die heeft geld op mij gezet.

Ik ben blij dat ik uiteindelijk wel met de wedstrijden heb meegedaan. Ik heb mezelf er een beetje mee geholpen. En misschien zijn er dankzij dat thaiboksen nu ook jongens die een beter leven in de gevangenis hebben, omdat ze kunnen sporten in plaats van in een fabriek te moeten beulen voor niets of voor een pak slaag als hun werk niet af is.

Maar daarna heb ik niet meer meegedaan aan thaiboks-wedstrijden, hoe ze ook aandringen. Ik ben geen 27 meer. Ik wil bovendien geen risico's lopen zolang ik in de gevangenis zit.

Tegenover de cel waarin wij met ons vieren verblijven, zit een man uit Ghana met vier anderen in een cel. Een van hen is een Birmees.

De dag voordat hij zou worden vrijgelaten, hangt die Birmees zichzelf op in de wc. Het is eind van de middag, en de meesten in die cel hebben de gewoonte zo rond een uur of vier een dutje te doen. De cel gaat dan al op slot.

Als de Ghanees wakker wordt en naar de wc gaat, ziet hij daar die Birmees hangen. Hij begint bij de celdeur te schreeuwen. Maar ze halen nooit iemand uit de cel als hij dood is, want daar moeten eerst een dokter en de politie bij komen.

De hele nacht heeft die Ghanees bij de deur gestaan, want

hij is bang voor de geesten van een dode. Wij hebben er nog om gelachen ook, maar het is natuurlijk in- en intriest.

Die Birmees is ook zo'n gevangene die niets of niemand meer heeft, geen steun van zijn land, geen bezoek, geen geld. Hij is bovendien met aids besmet. Waar moet hij naartoe gaan als ze hem vrijlaten? Ik denk dat dat de reden is waarom hij zichzelf heeft opgehangen.

En dan heb ik het dus niet over mensen die een bedreiging vormen voor de maatschappij. Die Birmees heeft misschien wel de wet overtreden, iets gedaan wat niet mag, maar als dit zijn einde is, kloppen de straffen en het rechtssysteem in Thailand gewoon niet.

Soms is er zowaar goed nieuws. Dit keer voor Sean en William, twee jongens uit Zuid-Afrika, die in Lardyao ook in gebouw 2 zitten. Ik ben ze voor het eerst tegengekomen in Bombat.

Zij zijn tot tien jaar veroordeeld, maar hebben na negen jaar gratie gekregen bij een amnestieverklaring van de koning. Zodra hun paspoort en een ticket zijn geregeld, vliegen ze naar huis. Ik ben blij voor ze. Negen jaar is meer dan genoeg, dat weet ik zelf maar al te goed.

Ik trek niet echt met ze op, maar respecteer ze wel. Het zijn leuke gasten. Ze zijn helemaal de religieuze kant op gegaan en hebben zelfs een studie gevolgd om missionaris te worden. Ik denk dat ze daarmee in hun eigen land wel verder zullen gaan.

Koning Bhumibol Adulyadej (of Rama IX) van Thailand deelt van tijd tot tijd een strafvermindering uit, en daar zit iedereen op te wachten. Zo heeft een Thai met wie ik samen in Lardyao zit, er al 22,5 jaar op zitten van de 33 jaar die hij heeft gekregen, als hij zo'n koninklijke amnestie ontvangt.

Maar om voor amnestie in aanmerking te komen, kun je beter moordenaar zijn of pedofiel dan in drugs handelen.

Mensen die wegens drugs worden veroordeeld, krijgen altijd een zwaardere straf, terwijl aan de andere kant hun kans op strafvermindering een stuk kleiner is.

5. Voor de rechter

In Bombat leer ik al snel hoe het rechtssysteem in Thailand werkt. Ik ben me er heel goed van bewust dat het wel een flinke tijd kan gaan duren. Maar nooit heb ik gedacht dat ik vier jaar en elf maanden moet wachten voordat de rechtbank in eerste instantie een uitspraak doet.

Vier jaar lang zijn getuigen van de politie aan het woord gekomen. Zij krijgen ongehinderd de gelegenheid alles te zeggen wat ze willen en ze hoeven niets te bewijzen.

Al met al ben ik zo'n zestig keer naar de rechtbank geweest; in ons geval is dat de Rechtbank Bangkok-Zuid. Op het laatst wíl je niet eens meer. Waar dient dat allemaal voor!

Meestal is de hele reis voor niets, omdat er weer eens een getuige van de politie niet is komen opdagen. En als die er wel is, gaat alles wat wordt gezegd in het Thais. Daarna – als er tenminste nog tijd is – kan mijn advocaat hem nog ondervragen.

Elke keer weer word je met veel te veel mensen in een bus gepropt. En als ik dan weer naar beneden word gebracht, naar een kooi in de kelder van de rechtbank waar we met honderd tot honderdvijftig man als kippen in een hok op elkaar zitten, denk ik: 'Hier kom ik hopelijk niet meer terug.' Smerig dat het er is!

De bewakers die op de rechtbank werken, zijn er alleen maar op uit je de grond in te trappen. Maar als je wat geld hebt, kun je wel bij ze regelen dat je schoon water krijgt om te drinken, of een sigaret.

Urenlang moet je in de rechtbank op een bankje zitten

met kettingen en handboeien om. Je mag alleen maar luisteren naar wat de tegenpartij allemaal uitkraamt. Als je je benen even over elkaar kruist, is dat niet beleefd.

Maar de aanklager mag er wel vier jaar over doen om bewijs tegen je bij elkaar te sprokkelen. Het is voor de Thaise justitie geen enkel probleem jou daarvoor zo lang vast te houden.

Pas als dat allemaal achter de rug is, komen wij, de verdachten en onze advocaten, aan het woord. Dan pas krijg ik de kans om mijn getuigen naar voren te brengen, om mijn verdediging te voeren.

Dan duurt het nog elf maanden voordat de rechtbank tot een uitspraak komt. Die laatste maanden willen ze het ineens zo snel mogelijk afhandelen.

In mijn zaak is er totaal geen bewijs tegen mij. Maar ik weet dat het geen uitzondering is dat de rechters je dan toch levenslang, de doodstraf zelfs, of wat voor belachelijke straf ook geven. Dan verklaart de rechtbank rustig: 'Er is geen enkel hard bewijs tegen je, maar we geloven de politie.'

Ik besef heel goed dat het alle kanten op kan gaan, want de eerste rechtbank waarvoor je verschijnt, is de belangrijkste. Daar worden getuigen gehoord en bewijzen aangevoerd. Voor zover dat mogelijk is kan je ook zelf wat tegen de aanklacht inbrengen en je eigen getuigen verklaringen laten afleggen.

Maar ook al is er geen enkel bewijs tegen mij, ook al moeten de aanklagers volstaan met: 'We denken dit en we denken dat', ik weet dat de kans veel groter is dat het de slechte kant op gaat dan de goede.

In elk geval komt dan op 11 maart 2002, na bijna vijf jaar, eindelijk het vonnis. We moeten opstaan als de rechters binnenkomen. Er wordt een envelop opengemaakt en een van de rechters begint voor te lezen.

Na tien minuten luister ik al niet meer, want het enige wat ik hoor is de onzin die de officier van justitie ook al tegen mij heeft ingebracht, zonder daar enig bewijs voor te hebben.

Mijn gedachten zijn alleen maar bij mijn familie, hoe mijn ouders en mijn broer zich zullen houden als ze te horen krijgen dat ik ben veroordeeld. Hoeveel jaar ik krijg – dat is nog een kwestie van minuten, denk ik.

Totdat ik op een gegeven moment een por in mijn ribben krijg van de neef van Linda. Hij staat naast mij, we zitten met boeien aan elkaar vast.

'Wat is er, Samarn?' vraag ik.

Hij zegt: 'Kiel, je gaat naar huis.'

Ik reageer geïrriteerd: 'Hoor je dan niet wat de rechter allemaal zegt?'

Ik versta Thais, dus ik ga weer luisteren en dan hoor ook ik wat er allemaal nog meer wordt gezegd.

Eerst heeft de rechter de verklaring en de eis van de officier van justitie voorgelezen. Pas daarna deelt hij zijn oordeel mee. Hij vindt dat de aanklacht helemaal op niets is gebaseerd. Daarom luidt de uitspraak: vrijspraak.

Natuurlijk ben ik blij en opgelucht. Maar ik kan niet gaan staan juichen, want naast mij wordt Samarn, die immers heeft bekend, wel veroordeeld.

Vrijspraak!

Dat wil zeggen: vrijspraak in afwachting van het besluit van de officier van justitie of hij in hoger beroep gaat of niet. Mijn Italiaanse vriend Marco Valeri, die samen met mij in de taxi zat en eveneens wordt vrijgesproken, mag dezelfde avond naar huis.

Maar ik mag niet meteen weg. Als reden geven ze dat ik de man ben van Linda, bij wie de heroïne is gevonden. Maar ik heb tijdens de rechtszaak al aangetoond dat wij niet meer samenwonen en bovendien nooit getrouwd zijn geweest.

Robert, de Australiër die in dezelfde zaak een paar maanden later is gearresteerd, moet ondanks zijn vrijspraak ook vast blijven zitten. Er loopt nog een uitleveringsverzoek tegen hem, omdat hij eerder in Italië is veroordeeld in een drugszaak.

Na mijn terugkeer in de Lardyaogevangenis weet ik uit ervaring dat ik nu mijn advocaat de officier van justitie moet laten benaderen om hem geld aan te bieden, met de bedoeling dat hij dan niet in hoger beroep gaat.

Natuurlijk, dat is illegaal, maar zo werkt het hier. En je doet er nu eenmaal beter aan te betalen en vervolgens echt vrij te zijn, dan jaren langer te moeten blijven zitten, ook al ben je formeel vrijgesproken. Kom je niet met geld over de brug, dan gaat die officier onherroepelijk in hoger beroep.

Dus zo gezegd, zo gedaan. Mijn Thaise advocaat zal de officier benaderen om hem te vragen hoeveel geld hij wil hebben om tot de beslissing te komen niet in hoger beroep te gaan. Robert vraagt zijn advocate hetzelfde.

Na ongeveer twee weken komt de advocate van Robert bij ons op bezoek. Zij heeft net de officier gesproken, zegt ze, en hij wil één miljoen baht (20.000 euro) voor ons beiden; dan ziet hij af van een hoger beroep. Wij antwoorden haar dat wij moeten kijken of we aan dat geld kunnen komen.

Dat lukt, en we maken een afspraak. De advocate gaat weer naar de officier; daarna zou alles geregeld zijn. Maar kort daarop komt zij terug met de mededeling dat de officier van gedachte is veranderd en geen geld aanneemt.

Naderhand ben ik erachter gekomen dat helemaal niemand die officier heeft benaderd. De advocate van Robert kreeg het geld natuurlijk niet vooraf; we hebben het op een bankrekening laten zetten en zodra wij vrij waren, zou zij haar geld krijgen. We hebben daarover zelfs een soort contract opgemaakt.

Maar dit is natuurlijk niet haar bedoeling. Zij wil het geld vooraf, zo kan ze er nog niets mee. Vandaar dat ze met deze smoes komt en ons die dag zo'n tegenvaller bezorgt.

Mijn advocaat heeft helemaal nooit iemand benaderd. Hij heeft gewoon gewacht in de wetenschap dat als de officier in hoger beroep gaat, ik hem weer nodig heb als advocaat om mijn verweerschrift op te stellen. Dat heeft hij trouwens nooit ingediend; ik heb hem verder niet meer nodig als raadsman.

Maar wat zou er gebeurd zijn als toen iemand wél de officier van justitie had benaderd? Zat ik hier dan allang niet meer? Wie weet.

Na drie maanden, op 12 juni, komt officieel de aankondiging van het hoger beroep tegen ons drieën binnen. Marco, Robert en ik moeten ervoor tekenen. Maar Marco zit natuurlijk al lang in Italië.

Normaal duurt het een maand, hooguit 45 dagen voor er een beslissing valt of er al dan niet in beroep wordt gegaan. Deze officier heeft ongetwijfeld op ons gewacht en heeft toen pas tot een hoger beroep besloten.

We proberen wel eerst nog op borgtocht vrij te komen. Mijn advocaat dient netjes een verzoek daartoe in, maar dat wordt afgewezen. Je weet nooit of dat ermee te maken heeft, maar bij de zitting waar mijn verzoek wordt behandeld, is niemand van de ambassade aanwezig. Mijn advocaat zit ook niet in de zaal. Dat helpt niet echt, natuurlijk.

Het verzoek wordt afgewezen, omdat de Thai het risico dat ik dan het land ontvlucht te groot achten. Ze verwijzen daarbij naar een Brit die een paar jaar geleden was gevlucht terwijl hij op borgtocht was vrijgelaten.

Nadat inmiddels, begin december 2002, mijn zaak eindelijk in de publiciteit is gekomen, ontstaat er ineens allerlei activiteit in Den Haag. Boris Dittrich, het Tweede Kamerlid van D66 dat zich vanaf dat moment voor mij inzet, doet in Kamervragen een dringend beroep op minister Jaap de Hoop Scheffer van Buitenlandse Zaken dat de Nederlandse regering zich garant stelt voor mij.

Maar daar voelt de minister niets voor; hij zegt dat hij mij dan niet kan verhinderen uit Thailand weg te gaan, en als ik zou vluchten, kan hij mij ook niet dwingen naar Thailand terug te keren.

Inmiddels heb ik, ook als gevolg van alle publiciteit, een nieuwe advocaat. Mr. Geert-Jan Knoops werpt zich voor mij op, en dat is een groot verschil met de advocaten in alle voorgaande jaren die niets voor mij hebben gedaan.

Knoops spant een rechtszaak aan tegen de Nederlandse staat om af te dwingen dat het ministerie van Buitenlandse Zaken zich voor mij garant stelt, zodat ik alsnog op borgtocht kan worden vrijgelaten.

De rechter beslist op 18 maart 2003 dat zo'n garantstelling niet kan worden afgedwongen. Maar volgens die rechter is aan de andere kant ook 'niet gebleken dat alle mogelijkheden van borgverstrekking voldoende zijn onderzocht'.

Dus wordt in april opnieuw een verzoek bij de Thaise autoriteiten ingediend om vrijlating op borgtocht, ditmaal ondersteund door een brief van minister De Hoop Scheffer. Mijn familie heeft daarvoor een borgsom van 25.000 euro bij elkaar gekregen.

Maar ook ditmaal wordt het verzoek afgewezen. De affaire van Peter Bedier de Prairie, een zoon van de vermaarde Gretta Duisenberg, speelt daarbij een bepalende rol.

Nadat drugs zijn gevonden in een strandbar die hij met zijn broer in Thailand runt, wordt hij in maart vrijgelaten op een borgsom van drieduizend dollar. Hij smeert hem natuurlijk.

'Wij hebben ons vergist,' verklaart de Thaise ambassadeur in Den Haag, Vasin Teeravechyan. 'Geld speelt geen rol, zodra ze kunnen, verlaten ze Thailand. De ontsnapping van de zoon van Duisenberg toont aan dat wij westerlingen niet kunnen laten gaan.'

Mijn rechtszaak in hoger beroep verloopt uitsluitend schriftelijk. Er wordt niets opnieuw onderzocht, er komen geen nieuwe verklaringen, geen nieuwe bewijzen. In de aanklacht staat ook niets nieuws. Ook ditmaal vindt de officier dat wij wél schuldig zijn.

Toch duurt het al met al twintig maanden voordat het vonnis in hoger beroep komt. Ik word onverwacht op 31 oktober 2003 weer naar de Rechtbank Bangkok-Zuid gebracht voor de uitspraak. Niemand begrijpt het, maar ditmaal volgen de rechters de eis wél. Het vonnis luidt nu: levenslang.

Alles zit fout aan deze uitspraak. Twee weken eerder krijgt Peter van Wulfften Palthe, directeur-generaal consulaire zaken van het ministerie van Buitenlandse Zaken, nog tijdens een bezoek aan de Thaise minister van Justitie in Bangkok te horen dat de uitspraak op 17 november bekend wordt gemaakt, maar dat het vonnis in hoger beroep door het Thaise gerechtshof al veel eerder is geveld en 'de envelop al is gesloten'.

De juridische procedure in Thailand is zodanig dat het hof de uitspraak doet, deze vervolgens doorstuurt naar de rechtbank waar je zaak het eerst is behandeld, en die rechtbank vervolgens het vonnis aan de gevangene meedeelt. Ook later bij de uitspraak in cassatie op 27 maart 2006, wordt deze gang van zaken gevolgd.

Pas als Geert-Jan Knoops de tekst van het vonnis in zijn bezit heeft, blijkt dat het gerechtshof al op 1 juli 2003 vonnis heeft gewezen! Dat wordt dan doodleuk vier maanden geheimgehouden.

En dan krijg ik het ook nog niet op de aangekondigde

datum, maar een paar weken eerder te horen. Er is niemand bij van de ambassade, ook mijn Thaise advocaat niet. Mijn moeder is nota bene van plan voor de uitspraak op 17 november naar Bangkok te vliegen – in de hoop dat ik definitief word vrijgesproken.

Pas als na het weekeinde, maandag 3 november, een vertegenwoordiger van de ambassade toevallig bij mij op bezoek komt, hoort die van mij wat de uitspraak in hoger beroep is. Ik begrijp dat zelfs minister De Hoop Scheffer woest is over deze beledigende behandeling.

Hij roept ambassadeur Vasin Teeravechyan op het matje. Die verklaart dat de uitspraak eerder bekend is gemaakt 'op verzoek van Nederlandse kant'.

Volgens de ambassadeur is het niet zo gek dat het gerechtshof mij tot levenslang veroordeelt, terwijl de rechtbank mij eerder heeft vrijgesproken. De eerste rechters geven mij nog 'het voordeel van de twijfel', zegt hij. Maar het hof 'ziet in de belastende omstandigheden voldoende bewijs om wél schuldig te verklaren'.

En de ontlastende verklaringen dan, van de taxichauffeur, van mijn ex-vriendin Linda, zelfs van de agenten die mij arresteerden? Die komen in het vonnis van het gerechtshof niet meer voor, merkt Geert-Jan Knoops.

Zijn de rechters onafhankelijk? Was dat maar zo. Maar ik geloof het niet meer.

Als van de honderd drugsdelicten die hier voor de rechtbank komen, het uiteindelijk vijf keer niet tot een veroordeling komt, toont dit dan aan dat de Thaise rechtspraak zo goed in elkaar zit? Of worden de mensen hier zomaar veroordeeld: 'Wij denken dat je schuldig bent, en daarom ben je maar schuldig.'

Als een verdachte uiteindelijk door de rechtbank wordt vrijgesproken, is dat gezichtsverlies voor de politieman die deze persoon heeft laten arresteren. Bovendien maakt hij, als het hem twee keer is overkomen, geen kans meer op promotie.

Dat kan toch niet? Een politieagent in het ongelijk stellen, alsof die zijn werk niet goed heeft gedaan? De politie heeft toch altijd gelijk!

6. In de publiciteit

Een van de andere Nederlanders die tegelijk met mij in Lardyao gevangen zit, is Rinus Parlevliet. Zonder dat ik ervan weet, vertelt hij zijn zuster over mijn zaak. Zij benadert vervolgens Boris Dittrich.

Dittrich neemt contact op met mijn familie. Mijn ouders weten inmiddels al dat er van de kant van de Nederlandse ambassade en van het ministerie van Buitenlandse Zaken totaal niets voor mij wordt gedaan.

'Dit kan niet langer zo,' zegt Boris Dittrich. 'De zaak van Machiel Kuijt moet in de publiciteit komen.' Dan is het eind 2002.

Inderdaad, de eerste vijfenhalf jaar van mijn gevangenschap weet niemand iets over mij. Het ministerie van Buitenlandse Zaken dringt aan op stilte, zodat op hoog niveau achter de schermen voor mijn zaak kan worden gewerkt.

Het eerste gevolg van de publiciteit is dat Gerard Kramer, die dan de Nederlandse ambassadeur in Bangkok is, voor het eerst persoonlijk bij mij op bezoek komt.

Ik ben net aan het trainen voor een thaibokswedstrijd, als ik word geroepen omdat er bezoek voor mij is. Op een briefje zie ik de naam van Kramer, dus ik denk: 'Dat is misschien goed nieuws!' De ambassadeur is mij immers nog nooit komen opzoeken.

Wij stellen ons aan elkaar voor: 'Hallo meneer Kramer.'

'Dag meneer Kuijt. Je ziet er goed uit.'

'Ja, dank u wel.'

Kramer vertelt mij dat hij een officier-generaal heeft gesproken, een hoge functionaris van Justitie, maar die kan niets doen. Hij kan zelf ook niets doen, want als hij zich met mijn zaak zou bemoeien, pakt dat voor de rechtbank misschien negatief uit. Dus dat wordt een kort en teleurstellend bezoek.

Ik zeg: 'Het enige dat jullie kunnen doen, is mijn geldlening eens in de drie maanden aanvullen, zodat ik hier de spullen kan kopen die ik nodig heb. Dan kan ik er goed blijven uitzien.'

Na dit bezoek schrijf ik meteen een brief naar mijn familie om ze te laten weten dat het 'bezig zijn achter de schermen' waar de Nederlandse autoriteiten het steeds over hebben, niet echt veel inhoudt. Het is eigenlijk gewoon maar een formule om iedereen rustig te houden.

Dat blijkt ook wanneer ik merk dat de advocaat, die ik heb betaald voor mijn beroepschrift, nooit bij de rechtbank is geweest. 'Blijft dat zo?' vraag ik de vertegenwoordiger van de ambassade.

Tijdens het volgende bezoek probeert deze mij gerust te stellen: 'Het zal wel goed zitten, hoor!' Maar al ga ik op mijn kop staan, een garantie kunnen zij mij nooit geven.

Alle publiciteit die na de activiteit van Dittrich in de media is verschenen, heeft er wel toe bijgedragen dat er uiteindelijk een bilateraal verdrag tussen Nederland en Thailand is gesloten. Dat is alleen maar gunstig voor alle Nederlanders hier in de gevangenis.

Door dat verdrag is er na je definitieve veroordeling – en in Thailand is de kans heel groot dat je wordt veroordeeld – een uitweg om voordat je straf erop zit, naar je vaderland terug te keren. Alleen moet je dan wel eerst een aantal jaren in Thailand hebben uitgezeten.

Wie tot levenslang is veroordeeld, moet minstens acht jaar in de Thaise cel doorbrengen; wie een lagere straf heeft gekregen, zelfs al is het vijftig jaar, kan al na vier jaar een ver-zoek indienen om naar Nederland te worden overgebracht, en bij een straf onder de twaalf jaar nog eerder.

Ik heb voor die tijd al eens aan de ambassade gevraagd waarom Nederland niet allang een bilateraal verdrag heeft met Thailand. Bijna alle Europese landen, maar ook Ame-rika, Canada, Australië en nog meer landen hebben dat wel.

Het antwoord luidt dan: Nederland kent geen doodstraf en gaat niet akkoord met de wijze van straffen hier.

Maar Duitsland, Zwitserland, Spanje, Italië, om maar een paar andere Europese landen te noemen, hebben ook geen doodstraf. Toch kunnen gevangenen uit die landen wél terug na vier of acht jaar.

Boris Dittrich heeft ervoor gezorgd dat de Tweede Kamer heeft beslist: zo'n verdrag met Thailand moet er nú komen, ook al wil de regering het eigenlijk niet. Dat is in november 2003, kort voordat koningin Beatrix op staatsbezoek naar Thailand zou gaan.

Dat bezoek wordt mooi als breekijzer gebruikt in de on-derhandelingen met de Thai over zo'n verdrag. Want er moet natuurlijk wel een resultaat te melden zijn tijdens het staats-bezoek.

Zelfs oud-minister Hans van den Broek wordt daarvoor eind december naar Bangkok gestuurd. Hij kookt de afspra-ken voor over het verdrag én over de gratie die tijdens het bezoek van de koningin verleend zal worden.

En inderdaad, als Beatrix van 19 tot 22 januari 2004 op staatsbezoek is, wordt bekendgemaakt dat Pedro Ruyzing en George Ofosuhene gratie krijgen van koning Bhumibol. Pedro zit al vast sinds 1995; zijn aanvankelijke veroordeling tot levenslang is later omgezet in veertig jaar. George, een Ghanees met een Nederlands paspoort, heeft er dan al meer dan tien jaar opzitten van de vijftig jaar waartoe hij is veroordeeld.

Het kan dus wel, bemoeienis van Nederland met de straffen die Thailand uitdeelt aan Nederlanders, zonder dat de Thai daardoor beledigd worden! Al helpt de komst van de koningin natuurlijk ook.

Minister Ben Bot van Buitenlandse Zaken maakt tijdens dat staatsbezoek eveneens bekend, dat hij en de Thai het eens zijn geworden over een verdrag. Het kost daarna nog heel wat maanden onderhandelen, maar in elk geval is het verdrag er nu, en dat is een goede zaak voor alle Nederlanders die in Thailand gevangen zitten.

De publiciteit over mijn zaak heeft nog een ander positief gevolg. De eerste vijfenhalf jaar heb ik bijna nooit bezoek gehad. Maar na mijn veroordeling tot levenslang en alle berichten daarover in de media, krijg ik nu regelmatig bezoek van mensen die iets over mij hebben gehoord of gelezen, en ontvang ik ook veel brieven. Ik ben die mensen allemaal ontzettend dankbaar.

Elke werkdag komt er post, en op maandag en woensdag kunnen we bezoek krijgen. Dat zijn dingen die het verblijf in Bangkwang een beetje draaglijker maken.

Zo komen regelmatig bemanningsleden van de KLM op bezoek. Dat is steeds heel gezellig. Voor ons is het geweldig dat deze mensen naar ons toe komen.

Bezoek is in het algemeen goed, wie er ook komt. Het ene bezoek is natuurlijk leuker dan het andere, maar bijna altijd heeft het een heel positief effect.

Mensen die de tijd nemen tijdens hun vakantie of zakenreis landgenoten te bezoeken die gevangen zitten in een ver land, beseffen misschien nauwelijks hoeveel goeds ze daarmee doen. En hopelijk houden ze er ook zelf een goed gevoel aan over.

Dan gaat het niet speciaal om mij. Of ze nu naar mij komen of naar Hans Zegers of Rinus Parlevliet, of naar Edy Tang en Li Yang die ter dood zijn veroordeeld, of naar de vrouwengevangenis – het is voor ons altijd een geweldige opsteker om bezoek te ontvangen.

En een lolletje is het niet, zo'n bezoek. Die laatste tijd in Lardyao is het helemaal een verschrikking.

Het bezoek duurt dan nog maar hooguit 25 minuten, en dat is inclusief de procedures voordat je binnen bent. Eerst moet je op houten bankjes wachten tot de bel gaat die het begin van de bezoektijd aankondigt.

De naam van iedere gevangene voor wie zich een bezoeker heeft aangemeld, wordt afgeroepen. 'Masjiel Koeit!' roepen ze voor mij; mijn naam is nu eenmaal niet uit te spreken voor een Thai.

Dan is het hollen en dringen voor de bezoeker om geen tijd te verliezen. Als je een tas bij je hebt, moet die worden gecontroleerd. Geld en zaken als een mobiele telefoon of een camera mogen niet mee naar binnen. Je wandelt door een detectiepoort.

Terwijl een voorgaande groep bezoekers het afscheid nemen nog rekt, moet je proberen een goede plek te veroveren in de smalle ruimte, die al gauw vol is gestroomd. En dan mogen wij aan de andere kant die ruimte in gaan, met al de andere gevangenen voor wie er bezoek is.

Wij en de bezoekers zitten een aantal meters van elkaar af, met hekken van gaas ertussen. Gewoon praten is onmogelijk, want aan beide kanten van het hek zit je dicht op elkaar. Mijn moeder noemt het steeds een 'schreeuwsessie'.

Al schreeuwend moeten we zien een gesprek te voeren, tussen alle mensen die links en rechts naast ons al even hard aan het schreeuwen zijn. Het is een enorme herrie, al dat gegil van vooral Thaise familieleden, het geblèr van de bewakers en het gerammel van de kettingen van de gevangenen. En stipt na 25 minuten rinkelt de bel weer: afgelopen. Wij worden weggevoerd, en het bezoek krijgt te horen dat het snel weer naar buiten moet.

In Bangkwang is het bezoekregime in elk geval wat ruimer, al is het tot een verbouwing in 2005 ook daar vooral een zaak van veel schreeuwen. Mijn bezoek staat achter gaas en tralies, een afdakje biedt wat bescherming tegen de zon, een ventilator zorgt voor een beetje verkoeling. Dan een niemandsland met een soort tankgracht, dan weer gaas en tralies, en daarachter mogen wij plaatsnemen, de gevangenen voor wie er bezoek is.

De bezoekers vertellen van de hele reis die zij al achter de rug hebben. De Bangkwanggevangenis ligt in Nonthaburi, een voorstadje van Bangkok, aan de rivier de Chao Phraya.

Vanuit het centrum van Bangkok gaat over die rivier een veerdienst naar Nonthaburi met ranke, snelle motorboten, die voor en na de bezoektijden extra vol zijn. Vanaf de steiger lopen de bezoekers in colonne naar het gebouw tegenover de gevangenis, waar zij allerlei formaliteiten moeten vervullen.

Wie mij bezoekt, moet op een papier mijn naam invullen en het nummer van het gebouw van Bangkwang waarin ik zit. Daarbij moet de bezoeker ook een kopie van zijn paspoort inleveren.

In de gevangeniswinkel kun je spullen kopen voor degene die je wilt bezoeken. Die worden daar in een plastic zak gedaan, opnieuw met naam en nummer van het gebouw. Wij krijgen dat dan later.

Het voordeel, heb ik gemerkt, is dat wat daar gekocht is, meestal ook bij ons aankomt. Wat je zelf meeneemt, daarvan moet je nog maar afwachten of dat door de controle komt.

Want ook in Bangkwang moet je tas, geld, telefoon, camera en dergelijke afgeven en door een detectiepoort lopen. Wat je mee wilt nemen, wordt precies nagekeken. Iemand brengt een keer camembert mee, daar had ik om gevraagd. De bewaker neemt er wel eerst een hapje van.

In 2005 is de nieuwe bezoekruimte klaar. De bezoekers zullen wel denken! De bloemperkjes zijn mooi onderhouden, en in de afgesloten en betegelde ruimte voor bezoekers zoemt de airconditioning.

We hoeven nu tenminste niet meer te schreeuwen. De bezoekers hebben een telefoon voor zich staan, en wij ook. Maar we zijn nu wel gescheiden door een dubbele wand van glas en tralies; daartussen kunnen bewakers lopen.

Het praten gaat gemakkelijker, maar de situatie is er wel sterieler op geworden. En het bezoek krijgt geen indruk meer van hoe slecht het er in de gevangenis zelf uitziet.

7. Intussen, in Amsterdam (2)

Pita Kuijt, Machiels moeder, doet intussen wat ze kan. Jaar in jaar uit reist ze naar Den Haag voor bezoeken aan het ministerie van Buitenlandse Zaken. Ze schrijft de ene brief na de andere.
Pita vertelt verder over haar moeizame relatie met de diplomaten.

Ik ben voor de mensen van de ambassade langzamerhand een lastig, naar vrouwtje geworden dat hen constant aanspreekt. Maar aan de andere kant van de wereld, in Thailand, zit mijn zoon onschuldig in de cel, en ik weet wel dat hij heel sterk is, lichamelijk en geestelijk, maar hoe lang houdt iemand dat vol?
De omstandigheden zijn er erbarmelijk, dat weet langzamerhand iedereen wel in Nederland. Machiel loopt er enorme gevaren. Er is aids, er zijn drugsverslaafden, er zijn geestelijk gestoorden. Eén besmette injectienaald, één gek met een mes, en het is over en uit. Er sterven tien, twintig gevangenen per maand.
Weet ik veel hoe het werkt op dat ministerie en op de ambassade? Ik heb daar nooit eerder mee te maken gehad. Maar langzamerhand wordt mij duidelijk dat ik maar één ding kan doen, en dat is constant met ze in de weer zijn, ze steeds weer dwingen mij antwoord te geven, ook al bereik ik er voorlopig niets mee.
Steeds krijg ik te horen dat ik moet zwijgen: 'Stille diplomatie, mevrouw Kuijt, stille diplomatie.' Maar die stille

diplomatie heeft ons nooit ergens gebracht. Toch hebben we ons daar steeds aan gehouden.

Dan belt eind 2002 Boris Dittrich.

'Bent u mevrouw Kuijt?' vraagt hij. En dan: 'Is het allemaal waar, wat ik over uw zoon te horen krijg?' Ik kan het alleen maar bevestigen: 'Ja, zo is de situatie.'

We maken een afspraak en ik zit er lang met Dittrich over te praten. Charles Sanders, journalist van *De Telegraaf*, is er ook bij gevraagd, en zo is langzamerhand de publiciteit gaan rollen. Sanders publiceert een verhaal in zijn krant, Dittrich schrijft een artikel voor *Het Parool*.

Sanders brengt mij ook in contact met de advocaat Geert-Jan Knoops. Eerst houd ik dat af: 'Ik vind het heel lief van je, maar wij hebben geen Geert-Jan Knoopsgeld.'

Maar Sanders dringt aan: 'Hij wil graag met jullie spreken.' Dus maken wij toch een afspraak met Knoops. Nadat we twee uur met hem en zijn vrouw Carry Hamburger aan tafel hebben gezeten, zegt Knoops dat hij de zaak van onze zoon op zich wil nemen, in de wetenschap dat zijn kantoor de zaak dan geheel belangeloos zal moeten doen. Zelfs pro-Deorechtsbijstand, betaald door de Nederlandse staat, wordt uiteindelijk niet verleend. De reden: met Machiels zaak zou geen Nederlands belang gemoeid zijn.

Ik ben verschrikkelijk blij dat Knoops zich nu over Machiel ontfermt. De Thaise advocaten die zich tot dan toe met zijn zaak hebben beziggehouden, hebben hem geen steek verder geholpen.

Sindsdien is er vreselijk veel gebeurd, en vooral is er veel publiciteit gekomen. Na *De Telegraaf* en *Het Parool* besteden ook op de televisie *Heilig Vuur* en *Barend & Van Dorp* veel aandacht aan de zaak van Machiel.

Die publiciteit komt in het begin wel op me af. Ik heb geen enkele ervaring met televisie, ik heb geen idee hoe dat werkt. Maar iedereen, en zeker Frits Barend en Henk van Dorp, vangt mij ontzettend goed op.

Toch zit ik ermee. Daar kijken honderdduizenden mensen naar die misschien denken: wat is zij sterk. Wij lijken inderdaad sterk. Maar de mensen hebben geen idee.

Zij vergeten dat ik elke dag word opgevreten door dezelfde angst of alles wel goed gaat met Machiel, of de pakketjes die we hebben gestuurd wel aankomen. Dag en nacht beheerst het je leven en daar kom je niet van af. Je moet elke dag weer een gevecht aangaan.

Op een dag word ik gebeld met de mededeling dat ambassadeur Gerard Kramer in Nederland is en mij graag wil ontmoeten.

Met een medewerkster van Knoops reis ik naar Den Haag. Daar zit de ambassadeur aan het hoofd van een tafel, half onderuit gezakt.

'Zo, mevrouw Kuijt,' begint hij, 'zegt u het maar.'

Ik kijk hem verbaasd aan. 'Wat bedoelt u? Ik ben hier op uitnodiging van u. Zegt ú het maar.'

Het wordt een woordenstrijd met veel welles en nietes. Hij houdt vol dat de ambassade werkelijk wel zijn werk doet. En ik breng daar tegenin: 'Vertel dan maar eens wát jullie gedaan hebben.'

Uiteindelijk is de eerste keer dat de ambassadeur eens op bezoek gaat bij Machiel in december 2002, als hij al bijna zes jaar vastzit. Dat gebeurt nadat Machiels zaak in *De Telegraaf* voor het eerst in de publiciteit is gebracht en nadat Boris Dittrich daarover vragen in de Tweede Kamer heeft gesteld.

Het is tevens Kramers laatste bezoek. Nadat de ambassadeur heeft meegedeeld dat hij verder ook niets voor Machiel kan doen, laat onze zoon hem weten dat hij verder niet van zijn komst is gediend.

Maar goed, op een gegeven moment tijdens het gesprek op het ministerie hangt het mij zo de keel uit dat ik zeg: 'Dit is nutteloos, dit is verspilling van mijn tijd. Ik beëindig dit gesprek.'

Kramer kijkt mij aan, ik zie in zijn ogen in een flits van een seconde eerst alleen totale verbijstering en dan intense woede. Een zekere mevrouw Kuijt durft een einde te maken aan een gesprek met een ambassadeur!

Hij heeft zijn werk nooit gedaan, nooit. De laatste jaren is er een nieuwe ambassadeur, Pieter Marres. Die is wel goed van de zaak op de hoogte, spant zich stevig in en onderhoudt een prima contact met ons.

Intussen zijn we ook nog gebeld door een organisatie die zich *Christian Prison Ministries Nederland* noemt. De mensen daarvan zeggen dat ze de mogelijkheid hebben via advocaten die ze kennen zaken te bespoedigen, zodat ze Machiel vrij kunnen krijgen.

Ik heb een gesprek met een vertegenwoordiger van deze christelijke organisatie. Hij vertelt dat hij ervoor kan zorgen dat de zaak van Machiel bovenop de stapel komt. Daar moet een bedrag voor op tafel komen, uiteraard.

Dat moet ons te denken geven, maar ik neem nog steeds aan dat iemand die zegt vanuit het evangelie te werken, geen oplichter is.

Het is kort voor de kerstdagen als hij weer opbelt: 'Zet de champagne maar koud, want jullie zoon staat binnen drie dagen buiten de gevangenis!' Wij reageren nog afwachtend: is het wel waar? Uiteraard is het niet waar.

Maandenlang horen we niets meer van die man. Ik heb nog geprobeerd hem te bereiken, en het geld hebben we ook nog steeds niet terug.

Met dominee Joop Spoor van de Stichting Epafras heb ik ook al slechte ervaringen. Hij vraagt me of ik mee wil doen met een televisieprogramma met Reinout Oerlemans over de gevangenis in Bangkok.

Ik ben geïnterviewd in Amsterdam, krijg een telefoontje wanneer het uitgezonden wordt en een keurig briefje van Endemol waarin ik word bedankt voor de medewerking. Wij kijken naar dat programma en zien tot onze verwondering eerst Reinout Oerlemans met zijn telefoon in een keurig netjes betegeld toilet staan, en vervolgens Spoor en Oerlemans ergens aan de rivier de Kwai zitten.

Waarop mensen die mij kennen, mij verbaasd opbellen: 'Pita, het ziet er in die Thaise gevangenis toch helemaal niet zo erg uit.'

Ik ben woedend. De volgende dag bel ik Spoor, en die reageert beteuterd: 'Ja, het is een beetje ongelukkig overgekomen. Ik ben ook niet zo blij met de situatie.'

'Wel,' antwoord ik, 'je hebt 50.000 gulden voor dat programma gekregen. Als je er niet zo blij mee bent, wees dan een kerel en zeg dat ze moeten rectificeren. Of anders betaal je dat geld terug.'

Dominee Spoor is nog een keer bij Machiel op bezoek geweest. Die heeft hem toen verteld dat dat niet meer nodig is.

En dan is er nog koningin Beatrix die zich voor onze zoon gaat inzetten. In het najaar van 2003, nog vóór de veroordeling van Machiel tot levenslang, laat minister Jaap de Hoop Scheffer van Buitenlandse Zaken in een gesprek met mij doorschemeren dat het voorgenomen staatsbezoek van de koningin aan Thailand, in januari 2004, als drukmiddel in de strijd zal worden gegooid.

Maar hij laat mij ook weten dat die mededeling binnenskamers moet blijven; hij zou altijd in het openbaar ontkennen dat hij zoiets gezegd heeft. Topambtenaar Peter van Wulfften Palthe vertelt me dat de Thaise autoriteiten behoorlijk geschrokken reageren als het koninklijk bezoek in verband wordt gebracht met Machiels zaak. Maar wat koop ik daarvoor? De tijd voor dit soort speldenprikken is toch allang voorbij.

Dus als Machiel toch nog tot levenslang wordt veroordeeld, blijft er weinig anders over dan een beroep te doen op koningin Beatrix om bij de Thaise koning Bhumibol een goed woord te doen voor onze zoon. Beatrix is zelf toch ook moeder? Zij moet begrijpen dat dit niet is vol te houden.

Als de koningin op 16 juni 2005 een verrassingsbezoek brengt aan de jubilerende Albert Cuypmarkt, die dan honderd jaar bestaat, grijpt mijn man Ad, die met een kraam op de markt staat, dan ook zijn kans.

Hij ziet haar aan komen lopen en gaat voor zijn kraam staan. Terwijl Beatrix langs wandelt, zegt hij, zo luid dat iedereen het goed kan horen: 'Prettig u hier eens te ontmoeten.'

De koningin stopt en richt zich tot Ad. Die gaat, zonder zich van wie dan ook iets aan te trekken, meteen verder: 'Maar het zou nóg leuker zijn als u wat kan doen voor onze zoon, Machiel Kuijt, die gevangen zit in Bangkok.'

Beatrix verstijft helemaal, draait zich om en loopt door, zonder iets te zeggen. Dat is kenmerkend voor de steun die we van die kant mogen verwachten. Ik heb het een jaar eerder al ervaren.

Terwijl ik met een kennis ergens koffie zit te drinken, komt iemand naar me toe en vraagt me hoe de situatie is met Machiel. Ik leg uit dat er nog geen enkel schot in zit.

'Waarom bel je kroonprins Willem-Alexander niet eens op?' suggereert die ander.

'Jij hebt gemakkelijk praten!' reageer ik. 'Hoe krijg ik die nu aan de telefoon?'

'Wel,' antwoordt degene die mij aan heeft gesproken, 'ik heb zijn nummer.' En ik krijg van hem een 06-nummer.

Thuis probeer ik het, en tot mijn verbazing krijg ik Willem-Alexander aan de telefoon. Dat wil zeggen, zijn antwoordapparaat uiteraard.

Ik spreek het in en leg uit in welke toestand ik zit en hoe het allemaal is verlopen met Machiel. Ik vraag de kroonprins wat hij eraan kan doen.

Al de volgende dag word ik teruggebeld door de particulier secretaris van Willem-Alexander. Hij deelt mij mee dat de prins van de situatie op de hoogte is, en kondigt aan dat ik opnieuw gebeld zal worden.

De dag erna gebeurt dat inderdaad. Maar dan gaat het helemaal niet meer over Machiel en zijn gevangenschap, alleen nog maar over de vraag hoe ik aan het mobiele telefoonnummer van Willem-Alexander ben gekomen.

'Dat vertel ik natuurlijk nooit,' antwoord ik. Wel, ik zou nóg wel een keer worden teruggebeld.

Dagen lang hoor ik niets meer, en dan probeer ik het zelf nog maar een keer. Jawel hoor, het nummer is niet meer in gebruik. Dat kan ik me nog wel voorstellen ook.

Maar dat de kroonprins ook verder nooit meer iets van zich heeft laten horen, vind ik wel typerend.

8. Een baanbrekende verdediging

Nadat het D66-Kamerlid Boris Dittrich de zaak van Machiel Kuijt in de openbaarheid heeft gebracht, gaat mr. Geert-Jan Knoops zich als verdediger met zijn zaak bezighouden. Hij vertelt met welke bijzondere obstakels hij daarbij te maken krijgt.

Eind 2002 benadert Pita Kuijt, Machiels moeder, mij met het verzoek haar zoon vanuit Nederland rechtsbijstand te verlenen. Zij is via de *Telegraaf*-journalist Charles Sanders, die dan al uitvoerig over deze zaak heeft gepubliceerd, met mij in contact gekomen.

Uit de krant ben ik wel van de zaak op de hoogte, maar mijn kantoor heeft nog geen ervaring met het Thaise rechtssysteem. Op dat moment hebben we meerdere verdachten in het buitenland bijgestaan, onder meer in België, Frankrijk, Italië, Portugal, Spanje, Turkije en de Verenigde Staten. Maar in Thailand nog niet.

Mijn voornaamste vraag is: wat kan ik als Nederlandse advocaat voor Machiel Kuijt in Thailand betekenen?

Ik herinner mij dat Pita als zij bij ons op bezoek is, volkomen in nood verkeert. Zij is ervan overtuigd dat de Nederlandse overheid, vooral het ministerie van Buitenlandse Zaken, tot dat moment veel te weinig voor haar zoon heeft gedaan, dat de ambassade in Bangkok niet genoeg bijstand heeft verleend, terwijl haar zoon onschuldig vastzit.

Dit is dan ook direct voor mij het aanknopingspunt als wij besluiten aan deze zaak te beginnen: ikzelf en mijn kantoorgenoten mr. Carry Hamburger en mr. Karlijn van der Voort. De positie van de Nederlandse staat vormt een rode draad in het hele Thaise strafproces tegen Machiel Kuijt. Het valt niet mee dat vanuit het perspectief van de verdediging te beschrijven. Zijn zaak is een complexe combinatie van feiten en juridische fenomenen, niet in de laatste plaats vanwege het specifieke karakter van het Thaise strafproces. De zaak van Machiel Kuijt heeft ook een baanbrekende rol gespeeld. Juist deze zaak heeft het mogelijk gemaakt dat Nederland in 2004 een verdrag sluit met Thailand, waardoor daar gestrafte personen aan hun vaderland kunnen worden overgedragen.

Voordat Machiels zaak in de openbaarheid komt, is een dergelijk verdrag rechtspolitiek nauwelijks bespreekbaar vanwege de twijfels die de Nederlandse overheid koestert over het Thaise strafproces. Dat betreft vooral de beginselen van een eerlijke procesvoering, die zijn neergelegd in meerdere internationale mensenrechtenverdragen.

De zaak van Machiel breekt deze kwestie open en maakt het mogelijk dat in de toekomst Nederlandse veroordeelden in Thailand via dit verdrag naar Nederland kunnen terugkeren om hun straf in hun vaderland uit te zitten. Maar de zaak van Machiel staat voor meer. Hij voert een bijna onmenselijk gevecht tegen een rechtssysteem dat nog steeds moeilijk valt te doorgronden. Hij levert de strijd tegen die overmacht bovendien in alle eenzaamheid vanuit zijn bijna tien jaar durende gevangenschap in Bangkok. Keer op keer wordt hij geconfronteerd met de ervaring dat het vrijwel onmogelijk is in Thailand om je onschuld aan te tonen en de Thaise rechters hiervan te overtuigen. Je staat machteloos.

Zelden heb ik een cliënt meegemaakt die over een dergelijk groot, bijna bovenmenselijk doorzettingsvermogen beschikt om deze strijd te blijven volhouden door in zekere zin te accepteren dat er geen andere weg is dan wachten, jarenlang wachten.

Tijdens de verdediging van Machiel Kuijt, die wij voeren tezamen met onze Thaise collega Puttri Kuvanonda, een gerespecteerde advocaat te Bangkok, zijn wij vaak geconfronteerd met Machiels terechte gevoel van machteloosheid, en daarmee in wezen ook met onze eigen juridische machteloosheid. Wij zijn niet in staat zijn onzekerheid en dit lange wachten te doorbreken.

Meerdere malen heb ik tegen Machiel gezegd: 'Blijf vertrouwen houden in de goede afloop. Dat is het enige wat je op de been kan houden, naast alle mensen die jou steunen.'

Als wij de strafzaak tegen Machiel Kuijt in behandeling nemen, is hij na een lange procedure van vijf jaar door de rechtbank in Bangkok in eerste aanleg vrijgesproken. Dat gebeurt op 11 maart 2002.

Na het verhoren van meerdere getuigen, onder wie Machiels voormalige partner Linda en haar neef, maar ook de politieagenten die in deze zaak observaties zouden hebben gedaan, blijkt dat er geen enkel concreet bewijs voorhanden is dat hij betrokken is geweest bij de vondst van een hoeveelheid verdovende middelen bij Linda en haar neef.

De strafzaak tegen Machiel Kuijt kan moeilijk worden begrepen zonder iets af te weten van het Thaise strafrechtssysteem. Dat is gebaseerd op een samenloop van verschillende rechtssystemen, waaronder het traditionele Thaise recht.

De strafrechtelijke vervolging wordt in eerste instantie gedaan door de politie; pas in een later stadium komt het Openbaar Ministerie eraan te pas. Gerechtelijke instanties spelen in het geheel geen rol gedurende de onderzoeksfase van een rechtszaak. In het Thaise systeem vindt geen juryrechtspraak plaats.

Als de aanklager op 12 juni 2002 tegen de vrijspraak van Machiel in hoger beroep gaat, bepaalt de rechter dat hij tijdens dit hoger beroep niet op vrije voeten mag worden gesteld.

In de meeste rechtssystemen wordt een verdachte na een vrijspraak uit het voorarrest ontslagen en mag hij dus het hoger beroep van een aanklager in vrijheid afwachten. In het Thaise rechtssysteem ligt dit anders. Daar kan een rechter, indien wordt vrijgesproken op grond van gebrek aan bewijs, bepalen dat de verdachte gewoon in voorarrest blijft totdat het hoger beroep wordt behandeld.

Het eerste waar wij mee te maken krijgen als wij aan Machiels zaak beginnen, is dan ook de vraag of het voorarrest niet voorlopig beëindigd kan worden, in afwachting van de behandeling van zijn zaak door het gerechtshof in Bangkok. Zijn eerdere Thaise advocaat heeft al een verzoek tot vrijlating op borg ingediend, maar dat is helaas afgewezen.

De tweede vraag die bij ons opkomt, is of het juridisch mogelijk is de Nederlandse staat zover te krijgen dat die een actievere houding inneemt. De regering, vinden wij, moet er alles aan doen om Machiel vrij te krijgen in afwachting van de uitspraak in hoger beroep. Hij zit dan immers al meer dan vijfenhalf jaar in voorlopige hechtenis in Bangkok.

Daarom besluiten wij een kort geding aan te spannen tegen de Staat der Nederlanden, uiteraard gericht op het ministerie van Buitenlandse Zaken. Op 10 maart 2003 eisen wij twee punten:

1. Binnen een week na de uitspraak in het kort geding moet de minister van Buitenlandse Zaken aan Machiel of zijn moeder een verklaring ter beschikking stellen, waarin de staat meedeelt garant te staan voor Machiel.

2. De staat moet alles doen wat noodzakelijk is om tot on-
verwijlde (voorlopige) invrijheidstelling van Machiel te
komen. In elk geval moet de staat maatregelen treffen die
uitstijgen boven het niveau van 'diplomatieke inspannin-
gen'.

Onze inzet is dus de vraag of de staat kan worden gedwongen zijn consulaire rechtsbescherming ook te laten gelden
voor onderdanen die in het buitenland in een strafrechtelijke
procedure zijn beland, zeker als het gaat om de bescherming
van universele mensenrechten.

Wij vinden dat Machiel Kuijts universele mensenrechten
dagelijks worden geschonden, in de eerste plaats door de uit-
zonderlijk lange duur van zijn voorarrest (uiteindelijk negen
jaar!), maar ook door de barre omstandigheden in de gevangenis, die ook volgens Amnesty International wreed, onmenselijk en vernederend zijn. Gevangenen zitten aan zware
kettingen vast, eenzame opsluiting voor lange tijd wordt als
straf opgelegd, en lijfstraffen voor kleine overtredingen van
gevangenisregels zijn gebruikelijk, aldus rapportages van
Amnesty International.

Wij voeren tijdens de zitting meerdere argumenten aan
die aannemelijk maken dat de Nederlandse staat tot dat moment zich nauwelijks iets gelegen heeft laten liggen aan de
zaak van Machiel Kuijt.

Maar op 18 maart wijst de president van de rechtbank in
Den Haag onze eisen helaas af. Hij oordeelt dat de Nederlandse staat geen absolute verplichting heeft om de rechtsbescherming te bieden waar wij om vragen.

Het is wel van belang dat de rechter ervan uitgaat dat
de staat zich onverkort voor de belangen van Machiel Kuijt
in de strafzaak in Thailand blijft inspannen. Daarmee heeft
eigenlijk voor het eerst in de Nederlandse rechtspraak een

rechter vastgesteld dat de staat een bepaalde inspannings-verplichting heeft om op te komen voor de belangen en met name de mensenrechten van Nederlandse gedetineerden in het buitenland.

Betekent dit een omslagpunt in de zaak van Machiel Kuijt? Vele ingewijden hebben ons nadien verteld dat dit kort geding er inderdaad voor heeft gezorgd dat de Nederlandse overheid zich in elk geval meer is gaan inspannen voor zijn belangen.

Dat wordt bewaarheid als op 1 april 2003 Jaap de Hoop Scheffer een unieke en indrukwekkende brief schrijft aan zijn collega-minister in Thailand, Surakiart Sathirathai. Voor zover mij bekend is dat voor het eerst in de geschiedenis dat een Nederlandse minister zich openlijk inlaat met de belangen van een Nederlandse gedetineerde tijdens een lopende strafvervolging in het buitenland.

In deze brief schrijft De Hoop Scheffer onder meer: 'Ik zou u buitengewoon dankbaar zijn als u de Thaise minister van Justitie – en door zijn bemiddeling de president van het gerechtshof – op de hoogte zou stellen van ons verzoek. Ik ben persoonlijk van mening dat een positief besluit op dit verzoek in dit geval op zijn plaats zou zijn, gezien het feit dat de heer Kuijt al bijna zes jaar in voorarrest zit en dat hij op 11 maart 2002 is vrijgesproken. Ik zou uw gewaardeerde bijstand en bemiddeling in deze kwestie zeer op prijs stellen en wil u graag nogmaals bedanken voor uw aandacht voor deze zaak.'

De minister vindt het goed dat wij deze brief als bijlage hechten aan ons verzoek tot voorlopige vrijlating van Machiel op borg, hangende het hoger beroep. Op 4 april dienen wij dit verzoek in met de toenmalige Thaise advocaat van Machiel.

Pita Kuijt heeft zelfs een geldlening afgesloten om een bedrag van 25.000 euro als borg te storten op de bankrekening van de Nederlandse ambassade in Thailand. Deze borg dient als garantie dat Machiel, als hij wordt vrijgelaten, niet uit Thailand zou vertrekken. Machiel verklaart zich bovendien bereid zich dagelijks bij de politie in Bangkok te melden en in die stad een tijdelijk woonadres te vinden.

Behalve de brief van minister De Hoop Scheffer voegen wij bij dit verzoek tot vrijlating ook een brief van Machiels moeder aan de president van het gerechtshof. Daarin beschrijft zij de prangende persoonlijke omstandigheden binnen de familie Kuijt als gevolg van het lange voorarrest van Machiel. In het bijzonder maakt Pita Kuijt zich ernstig zorgen over het feit dat de twee dochtertjes van Machiel, op dat moment acht en zes jaar oud, door Pita en haar man Ad in Nederland worden opgevoed zonder hun vader. Zij kennen Machiel in feite nauwelijks.

'Wilt u ons alstublieft een kans geven om onze zoon voorlopig vrij te laten, zodat deze kinderen weer bij hun vader kunnen verblijven?' schrijft Pita de Thaise rechters.

Vanuit juridisch perspectief baseren wij het verzoek tot vrijlating ook op schending door Thailand van het Internationaal Verdrag tot bescherming van Burgerlijke en Politieke Rechten. Thailand is op 29 oktober 1997 tot dat verdrag toegetreden.

In dit internationaal mensenrechtenverdrag van de Verenigde Naties stelt artikel 9: 'Eenieder die op beschuldiging van het begaan van een strafbaar feit wordt gearresteerd of gevangengehouden (…) heeft het recht binnen een redelijke termijn berecht te worden of op vrije voeten te worden gesteld.'

Ook verwijzen wij naar artikel 14, dat bepaalt dat eenieder het recht heeft berecht te worden 'zonder onredelijke vertraging'.

Belangrijker is nog dat in dit verdrag letterlijk staat dat het juist geen algemene regel is dat personen die in afwachting zijn van hun proces, in detentie moeten verblijven. Het verdrag gaat in zo'n geval uitdrukkelijk uit van het recht op vrijlating, onder bepaalde voorwaarden.

Helaas wordt Machiel ook in dit geval in het Thaise rechtssysteem teleurgesteld. Enkele weken later verneemt hij dat de rechters van het gerechtshof in Bangkok zijn verzoek om vrijlating op borgtocht ongemotiveerd, zelfs niet met enige op papier gezette verklaring, hebben afgewezen. Ook wij, zijn advocaten, krijgen niet eens een schriftelijke kennisgeving, laat staan een motivering voor deze afwijzing.

In feite is dit ook een klap in het gezicht van de Nederlandse minister van Buitenlandse Zaken, die zich met zijn brief zo bijzonder heeft opgeworpen voor de belangen van Machiel Kuijt. Voor Machiel zit er wederom niets anders op dan eenvoudigweg te wachten. Zo schrijdt de tijd maar langzaam voort in de gevangenis.

Na deze zoveelste teleurstelling adviseren wij Machiel en zijn familie ook de internationaalrechtelijke weg in te slaan. Het beroep op respect voor de mensenrechten in Machiels zaak is in Thailand kennelijk aan dovemansoren gericht. Toch heeft Thailand zich ook aan die mensenrechten verbonden door partij te worden bij het internationale mensenrechtenverdrag van de Verenigde Naties.

Vandaar dat wij namens Machiel Kuijt en zijn moeder op 17 september 2003 een klacht indienen tegen Thailand bij de Mensenrechtencommissie van de Verenigde Naties te Genève. Ook bij deze klacht baseren wij ons op de schendingen van het Internationaal Verdrag tot bescherming van Burgerlijke en Politieke Rechten, die wij in het verzoek om vrijlating op borg al hebben genoemd.

De VN-commissie bevestigt keurig de ontvangst van onze klacht, maar heeft er tot aan de uitspraak in Machiels cassatie inhoudelijk niet op gereageerd. Nu weten we wel dat deze commissie geen uitspraken doet in individuele gevallen, maar alleen jaarlijkse rapporten uitbrengt over schendingen van de mensenrechten. Toch heeft de commissie Machiels verzoek wel in behandeling genomen.

Dit laatste kunnen we niet zeggen van een tweede internationaalrechtelijke lijn die we voor Machiel willen uitzetten. Op 15 december 2004 dienen wij een klacht in bij Javier Solana, secretaris-generaal inzake buitenlands beleid van de ministerraad van de Europese Unie in Brussel.

Op grond van dezelfde argumenten als in het verzoek aan de VN-commissie in Genève, vragen wij de EU – binnen de grenzen van haar mogelijkheden – in te grijpen vanwege de schending van de mensenrechten van Machiel Kuijt, met name de buitensporige lengte van zijn voorlopige hechtenis.

Het is onbegrijpelijk, maar noch van Solana zelf, noch van zijn bureau hebben wij ooit enige reactie ontvangen. Zelfs geen ontvangstbevestiging.

Toine Manders, VVD-lid van het Europees Parlement en voormalig advocaat, probeert nog persoonlijk onze klacht onder de aandacht van Solana te brengen, maar ook hij slaagt er niet in door deze papieren muur heen te komen.

Zo draait deze poging opnieuw uit op alweer een teleurstelling voor Machiel. En dat terwijl de EU zich er zo graag op laat voorstaan dat zij de bescherming van de mensenrechten hoog in het vaandel draagt.

Wat velen vrezen, gebeurt uiteindelijk tot hun verbijstering. Op 31 oktober 2003 krijgt Machiel te horen dat het gerechtshof in Bangkok de aanvankelijke vrijspraak door de rechtbank vernietigt. Hij wordt alsnog tot een levenslange gevangenisstraf veroordeeld.

'Op grond waarvan en waarom?' vragen vele collega's en journalisten mij vervolgens onophoudelijk. 'Hoe kan het gebeuren dat een aanvankelijke vrijspraak alsnog in levenslang eindigt? Hoe kan het zijn dat twee verschillende rechtscolleges op grond van hetzelfde materiaal tot zo'n verschillend oordeel komen?' Daarbij moeten we goed bedenken dat volgens het Thaise strafprocesrecht het gerechtshof in beginsel geen nieuwe rechtszaak laat plaatsvinden, maar louter en alleen op grond van het bestaande dossier een oordeel geeft. Er worden niet opnieuw getuigen gehoord in de rechtszaal, laat staan de verdachte zelf. Het is dus een papieren oordeel.

Machiel Kuijt is tot levenslang veroordeeld zonder dat hij in de rechtszaal het recht heeft gekregen zich in hoger beroep te verdedigen tegen de argumenten van de aanklagers. De aanklager en de verdediging kunnen weliswaar schriftelijk hun argumenten bij het gerechtshof inleveren, maar daar blijft het bij.

Het is altijd een mysterie gebleven waarom het gerechtshof tot dit oordeel is gekomen. De bewijslast in het voordeel van Machiel bij de rechtbank is immers overweldigend. Bovendien heeft de rechtbank bij die gelegenheid alle relevante getuigen in persoon uitvoerig ondervraagd.

In december 2003 vliegen mijn collega en echtgenote Carry Hamburger en ik naar Bangkok om voor het eerst persoonlijk met Machiel kennis te maken. Tot dan toe is het contact wel veelvuldig geweest, maar alleen schriftelijk.

Deze zaak kent nog een bijkomend probleem. Noch Machiel, noch zijn familie is in staat de kosten van de verdediging zelf te betalen, en zelfs niet onze vliegtickets naar Bangkok.

Naar aanleiding van een artikel over de zaak van Machiel in *De Telegraaf* krijgen wij echter financiële ondersteuning aangeboden door twee bijzondere mensen: Marcel en Wilma Coltof van Inproject.nl schenken belangeloos twee retourvliegtickets om Machiel te kunnen bezoeken. En deze reis naar Bangkok is nu juist zo belangrijk om met Machiel het verdere verloop van de verdediging te bespreken na de veroordeling tot de levenslange gevangenisstraf. Ook Pita Kuijt is het echtpaar Coltof hiervoor buitengewoon dankbaar.

Intussen hebben wij, op verzoek van Machiel en zijn familie, een gerenommeerde Thaise advocaat benaderd, Puttri Kuvanonda, die bekend staat om zijn kundigheid en integriteit. Wij zijn zeer verheugd als hij laat weten dat hij bereid is met ons samen verder te strijden voor Machiel.

Maar wat zijn dan nog de juridische mogelijkheden?

Ook volgens het Thaise rechtssysteem kan een verdachte tegen een uitspraak van het gerechtshof in cassatie gaan, namelijk bij de *Sarn Dika*, het Opperste Gerechtshof. Maar daarvoor moeten natuurlijk wel goede juridische argumenten worden ontwikkeld. Ook om die reden is het nodig naar Thailand te gaan, zodat wij een en ander met collega Puttri Kuvanonda kunnen voorbereiden. En de tijd dringt, want de cassatietermijn verloopt op 31 januari 2004.

Een maand tevoren dus ontmoeten wij Machiel Kuijt voor het eerst, in de Bangkwanggevangenis. Op het vliegveld worden we opgevangen door een consulair medewerker van de Nederlandse ambassade, die ons ook begeleidt tijdens het bezoek. Dankzij hem kunnen we Machiel die week zonder problemen meerdere malen spreken. We mogen zelfs gebruikmaken van de spreekruimte die is gereserveerd voor ambassadepersoneel dat gedetineerden bezoekt. Daardoor hebben wij wat meer privacy bij de gesprekken met Machiel. Het gewone bezoek moet in lange rijen naast elkaar met de gevangene praten vanachter een dubbele afrastering. Dit levert een kakofonie van geschreeuw op, en dit blijft ons nu bespaard.

We nemen met Machiel de uitspraak van het gerechtshof door en bespreken de argumenten voor de cassatieprocedure. Daarna werken we die in ons hotel uit met Puttri Kuvanonda.

Nooit vergeet ik de aanblik bij de binnenpoort in de gevangenis. Daar staat een schoolbord, waarop van dag tot dag het aantal gedetineerden in de gevangenis nauwgezet wordt bijgehouden. Het aantal buitenlandse gevangenen wordt apart vermeld, evenals het aantal ter dood veroordeelden. Er zitten op dat moment zo'n achthonderd buitenlandse gedetineerden. Daarnaast meldt het schoolbord ruim zevenhonderd gevangenen die ter dood zijn veroordeeld. Ik stel mij voor hoe de bewakers na het overlijden van een gevangene met een borstel en een krijtje steeds correcties op het schoolbord aanbrengen. Het is bijna niet te bevatten. Nog steeds maakt dit op mij een grote indruk als ik eraan terugdenk.

De zaak van Machiel Kuijt vormt ook een belangrijk agendapunt van het staatsbezoek dat koningin Beatrix in januari 2004 aan Thailand brengt. Op het moment dus dat wij nog druk bezig zijn onze stukken op te stellen voor de cassatie, die eind van die maand moeten zijn ingediend bij de Sarn Dika.

Het staatsbezoek is voor het verloop van Machiels zaak vooral van belang, omdat de Thaise regering bij die gelegenheid aan minister Ben Bot, de opvolger van De Hoop Scheffer, de belofte doet de cassatieprocedure tegen Machiel binnen zes maanden af te wikkelen.

Machiel Kuijt zit dan al zo'n zeven jaar in voorarrest. Voorarrest – het is goed daar nog eens bij stil te staan – betekent dat de schuld van een verdachte nog niet vaststaat. Opnieuw komt Machiel bedrogen uit. De Sarn Dika respecteert de termijn van zes maanden niet die is beloofd aan de Nederlandse regering. Toch heeft Puttri Kuvanonda direct na het staatsbezoek, eind januari, de schriftelijke cassatiestukken bij het Opperste Gerechtshof ingediend. Daarmee is de cassatieprocedure formeel ingeluid. Pas meer dan twee jaar later komt er een uitspraak van de Sarn Dika.

Ondanks al deze tegenslagen en teleurstellingen, heeft de zaak van Machiel Kuijt ook een baanbrekend positief gevolg gehad. Een van de weinige lichtpunten, maar toch.

Voor Boris Dittrich en een aantal andere parlementariërs is deze zaak aanleiding om minister Piet Hein Donner van Justitie ervan te overtuigen dat een verdrag met Thailand noodzakelijk is om gevangenen te kunnen overdragen. Met een dergelijk verdrag wordt het mogelijk dat Nederlanders die in het buitenland zijn veroordeeld naar Nederland terugkeren om hier hun straf uit te zitten. Dit geldt uiteraard ook omgekeerd voor de onderdanen van het land waarmee Nederland zo'n verdrag sluit.

Nederland heeft in 1999 met Marokko een soortgelijk verdrag afgesloten, maar daarmee zijn aanvankelijk negatieve ervaringen opgedaan. Voor minister Donner spelen echter vooral andere beweegredenen bij zijn afwerende houding. Hij wil aanvankelijk met Thailand niet zo'n verdrag aangaan, omdat Nederland dit soort verdragen alleen kan sluiten met staten die een rechtssysteem hebben waarin de regering volledig vertrouwen heeft. Dit vertrouwen heeft Nederland kennelijk niet in het Thaise rechtssysteem.

Toch weet de Tweede Kamer Donner er uiteindelijk van te

overtuigen dat juist vanwege humanitaire overwegingen een dergelijk verdrag op zijn plaats is. Deze argumenten moeten andere rechtspolitieke aspecten opzij zetten.

Op 1 april 2005 is het zover: het verdrag tussen Nederland en Thailand inzake de overbrenging van gevonniste personen en de samenwerking bij de tenuitvoerlegging van strafvonnissen treedt in werking. Volgens dit verdrag kan een Nederlander die in Thailand is veroordeeld, een verzoek tot overplaatsing naar een Nederlandse gevangenis indienen; althans wanneer er sprake is van een onherroepelijk vonnis.

Levenslang gestraften moeten eerst acht jaar hebben doorgebracht in een Thaise gevangenis. Voor andere straffen van meer dan twaalf jaar geldt een termijn van vier jaar; bij twaalf jaar en minder moet eenderde van de straf in Thaise gevangenschap zijn uitgezeten.

Machiel Kuijt kan dus een beroep doen op dit verdrag zodra hij acht jaar van zijn straf in Thailand heeft uitgezeten. Maar om van dit verdrag gebruik te kunnen maken, moet zijn strafzaak wel achter de rug zijn.

Dit is in april 2005, als zijn acht jaren zijn verstreken, bij hem nu juist niet het geval. Hij heeft immers cassatieberoep ingesteld; sterker nog, hij heeft te horen gekregen dat dit beroep binnen zes maanden zou zijn afgewikkeld. Machiel wordt dus voor een zeer moeilijk dilemma geplaatst, waarmee ook wij als zijn advocaten ons geconfronteerd zien.

Kan hij nu maar beter zijn cassatieberoep intrekken om daarmee mogelijk te maken dat hij via het verdrag terugkeert naar Nederland – in de hoop uiteraard dat dat dan snel gebeurt? Of moet hij nog langer blijven wachten in voorarrest, in de hoop dat de Sarn Dika hem vrijspreekt?

Hierbij is van groot belang dat volgens het Thaise strafproces de Sarn Dika, in tegenstelling tot onze Hoge Raad, ook de bevoegdheid heeft direct iemand vrij te spreken, als deze rechters van oordeel zijn dat de feiten die tot de veroordeling door het gerechtshof hebben geleid, onvoldoende zijn. In een dergelijk geval hoeft de Sarn Dika de zaak niet terug te verwijzen naar het gerechtshof voor een nieuwe behandeling, zoals dit in het Nederlandse rechtssysteem gebruikelijk is.

Wij achten op dat moment de kans voor Machiel Kuijt aanwezig dat het Opperste Gerechtshof hem simpelweg vrijspreekt. Het ontbreekt immers aan overtuigend bewijs in zijn zaak. Ook Puttri Kuvanonda, onze Thaise collega, deelt de visie dat Machiels zaak een goede kans maakt bij de Sarn Dika. De feiten die daarbij een rol spelen, zijn volgens hem bijzonder genoeg.

Voor ons als juristen is de beslissing dus snel gevallen: Machiel moet de cassatie doorzetten en het verdrag nog even laten voor wat het is. Maar er is natuurlijk een keerzijde aan de medaille, de mentale kant.

Machiel Kuijt heeft in april 2005 al acht jaar in voorarrest gezeten. Hij vreest dat het nog wel eens lang kan duren voordat de Sarn Dika tot een uitspraak komt. Wat moet hij nu doen?

Ik weet nog dat ik meerdere malen tegen Machiel heb gezegd: 'Het is natuurlijk jouw beslissing, maar vergeet niet dat als je de cassatie intrekt, je mogelijk niets meer hebt.'

Ook het nieuwe verdrag biedt immers nog steeds geen absolute garantie voor een terugkeer naar Nederland. Een Thaise commissie moet hierover per geval oordelen.

En daarbij wijs ik Machiel ook op het volgende: 'Als je de cassatie intrekt en via het verdrag terug naar Nederland wil komen, heb je wel een veroordeling tot levenslang achter je naam staan. Je moet het recht hebben je onschuld tot in hoogste instantie in Thailand te bevechten.'

In augustus 2005 maken Carry Hamburger en ik, op doorreis naar Cambodja om daar les te geven in verband met het nieuwe Cambodja Tribunaal, een tussenstop in Bangkok. Wij grijpen die gelegenheid aan om Machiel voor de tweede keer in de gevangenis te bezoeken.

Ook ditmaal verzorgt de Nederlandse ambassade het bezoek vlekkeloos. Anderhalf uur praten wij in de gevangenis met Machiel over de cassatieprocedure. Hij klinkt niet erg hoopvol, maar is inmiddels vastberaden om zijn cassatie toch door te zetten. Wel hoopt hij op een uitspraak van de Sarn Dika vóór eind 2005. Ook deze verwachting komt helaas niet uit.

Bij het verlaten van de gevangenis stuit ik weer op het schoolbord bij de binnenpoort; het staat er nog steeds. Het aantal ter dood veroordeelden is onveranderd boven de zevenhonderd. Wat gaat er met deze mensen gebeuren? zo spookt door mijn hoofd. Waarom zijn wij als internationale gemeenschap niet in staat hier wat aan te doen?

Met een zwaar gemoed en gemengde gevoelens vertrekken Carry en ik weer naar het vliegveld van Bangkok, waar we onze reis hervatten naar Cambodja. Hoe bizar ook, de dag erna doceren wij over het belang van mensenrechten bij de berechting van vermeende oorlogsmisdadigers, die voor het nieuwe Cambodja Tribunaal terecht zullen staan.

Machiel Kuijt en vele anderen zullen nu zeker denken, zo gaat door mijn hoofd, dat we in een wereld van juridische hypocrisie leven. En ik kan hun hierin geen ongelijk geven.

Na lang wikken en wegen en een aantal gesprekken met onze Thaise collega-advocaat, laat Machiel ons weten dat hij ons advies opvolgt en hoe dan ook de cassatie doorzet. Dat is een zeer moedig besluit, want hij is zich er goed van bewust dat hij anders mogelijk eerder naar Nederland kan terug-keren. Het toont voor mij wederom aan welk een enorme wilskracht deze man bezit.

Mede als gevolg van aanhoudende verzoeken van de nieuwe Nederlandse ambassadeur in Thailand, Pieter Marres, laat de Thaise regering uiteindelijk in september 2005 schriftelijk aan de Nederlandse regering weten dat de Sarn Dika ernaar streeft het cassatieberoep van Machiel Kuijt ditmaal echt binnen zes maanden af te wikkelen. Dit betekent dat in maart 2006 een einduitspraak in zijn zaak komt.

Voor Machiel is dit een belangrijk lichtpunt. Aan de andere kant realiseert hij zich heel goed, dat er in het verleden al te veel verwachtingen zijn gewekt die niet zijn uitgekomen, en dat deze brief in feite nog steeds geen enkele garantie biedt voor een spoedige uitspraak.

Wij zijn aangenaam verrast wanneer wij horen dat de uitspraak maandag 27 maart bekend wordt gemaakt, toch nog sneller dan verwacht. Ik krijg de mededeling de vrijdag ervoor in Sierra Leone, waar ik dan net ben aangekomen voor het VN-tribunaal. Carry belt mij, nadat zij door Buitenlandse Zaken op de hoogte is gesteld.

'Geert-Jan,' zegt ze, 'goed nieuws, de uitspraak komt maandag.'

Mijn eerste reactie is: 'Dat is goed nieuws voor Machiel, eindelijk komt er een einde aan zijn onzekerheid. Maar het is jammer dat ik er niet bij kan zijn.'

Carry overweegt zelf naar Bangkok te gaan, maar daar steekt het noodlot een stokje voor. Zaterdag overkomt haar een ernstige val, die mij ook noodzaakt vervroegd uit Sierra Leone terug te keren.

Na een lange, ingewikkelde reis land ik maandag om zes uur 's ochtends in Brussel. Om kwart over zes krijg ik een sms van Charles Sanders van *De Telegraaf* uit Bangkok: 'Slecht nieuws, Machiel levenslang.' Ik schrik natuurlijk geweldig. Ik ben al niet in zo'n opperbeste stemming vanwege het ongeval van Carry, en dan komt dit er nog bovenop. Ik bel Charles Sanders vanaf het vliegveld van Brussel. Als hij vertelt hoe de uitspraak werd gedaan in een klein zaaltje, zie ik het voor me. Machiel die, ogenschijnlijk de rust zelf, het vonnis heel kalm aanhoort, keurig gemanierd. De rechter die emotieloos het 'levenslang' voorleest – een heel andere rechter dan die dat vonnis heeft opgesteld.

Om half zeven 's morgens bel ik Pita Kuijt. Zij is zeer geëmotioneerd. Ik zeg tegen haar: 'Wat verschrikkelijk, Pita, het spijt me dat we geen beter nieuws kunnen brengen. Maar weet één ding: de strijd is nog niet gestreden, we geven nooit op. Ik hoop dat Machiel zich dat ook realiseert.'

Waarop zij antwoordt: 'Hij weet dat, hij zal ook niet opgeven, maar het zal een heel grote tegenslag voor hem zijn.' Zij vergeet niet ook nog te vragen hoe het met Carry gaat.

Dan moet ik mij haasten om de KLM-vlucht van 7.50 uur naar Amsterdam te halen. Tien minuten voor we aan boord moeten, belt de Wereldomroep; ik geef live een interview met één been al in de gate. Mijn eerste reactie luidt: 'Een enorme teleurstelling, we hadden het in zekere zin wel én niet verwacht. Wel, omdat in Thailand alles mogelijk is; niet, omdat Machiel een heel bepleitbare zaak had bij de Sarn Dika.'

Na aankomst op Schiphol vind ik een regen aan sms'en en voicemailberichten van journalisten, maar ik wil eerst naar Carry die nog in het ziekenhuis ligt.

Ik zie er na negentien uur in vliegtuigen behoorlijk verkreukeld uit, dus eerst ga ik naar huis. Daar heb ik me letterlijk vijf minuten even opgefrist, mijn koffer in een hoek gezet, de mensen op kantoor instructie gegeven dat ze alle journalisten tussen twee en vier moeten laten bellen, en ben daarna naar het ziekenhuis gegaan.

Carry is dolgelukkig mij te zien. Ik mag haar meenemen naar huis. Daarna dus alle gesprekken met de pers, en 's avonds naar Barend & Van Dorp. Carry bezweert me: 'Je moet gaan, daar moet je een uitzondering voor maken.' Met Pita rijd ik in een taxi naar Barend & Van Dorp. Voor mij is het een van de meest indrukwekkende uitzendingen die ik ooit heb meegemaakt, zeker ook vanwege de ruimte en menselijkheid die Pita daar krijgt van de programmamakers.

Ik denk dat het heel goed is dat ze dit doet – heel dapper ook. Het heeft mijn enorme bewondering voor haar als moeder nog versterkt. Weinig moeders zijn zo in staat heel Nederland uit te leggen wat er in je omgaat.

De definitieve uitspraak van de Sarn Dika heeft een einde gemaakt aan een van de meest bijzondere strafzaken tegen een Nederlandse onderdaan in het buitenland. Een strafzaak tegen een verdachte die dan al nagenoeg negen jaar in voorarrest zit. Een voorlopige hechtenis van zo lange duur is, voor zover ik weet, een Nederlandse onderdaan niet eerder overkomen.

Het is ook een strafzaak waarover veel publieke discussie is gevoerd. Moet de Nederlandse overheid zich wel inspannen voor deze verdachte? Is hij immers niet schuldig? Daarbij wordt vaak vergeten dat het hier op zich niet alleen om schuld en onschuld gaat, maar juist om een berechting op grond van de afspraken en standaarden die gelden binnen een internationale gemeenschap.

Schuld of onschuld – het blijft natuurlijk altijd aan de rechter hierover te oordelen. Maar de aannames op grond waarvan eerst het gerechtshof en vervolgens de Sarn Dika Machiel Kuijt tot levenslang hebben veroordeeld, kunnen in alle redelijkheid deze veroordeling niet rechtvaardigen.

Het blijft ook een strafzaak die rechtspolitiek het nodige

in Nederland heeft losgemaakt; kijk alleen maar naar het sluiten van het nieuwe verdrag met Thailand.

Ten slotte heeft de zaak van Machiel Kuijt ook eens te meer duidelijk gemaakt hoe belangrijk het is dat overheden zich in bepaalde gevallen de belangen aantrekken van eigen onderdanen die in het buitenland zijn gedetineerd. Het is immers de overheid die veel gemakkelijker een vuist kan maken en er op toe moet zien dat internationale afspraken worden nageleefd.

Dit is geen pleidooi voor inmenging in een buitenlands strafproces. Maar een regering mag en moet wel aandacht vragen voor misstanden op het gebied van de mensenrechten. Alleen al daarom zal de rechtszaak van Machiel Kuijt juridisch gezien een historische blijven.

9. Thaise logica

Thailand is het land van glimlach, zon, zee en strand. Van mooie natuur, lekker weer en lekker eten. Het biedt veel vertier en is niet te duur. Eigenlijk heeft het alle ingrediënten voor een ideaal vakantieland.

En mooie vrouwen, als je daarvan houdt. Laten we wel wezen, die seksindustrie met alles wat daarbij hoort, die is niet te wijten aan de buitenlanders. De Thaise autoriteiten laten het zelf allemaal gebeuren.

Als er in Amsterdam plekken zouden zijn waar dat soort vertier zo gewoon beleefd kan worden, met zulke lage bedragen voor seks, dan zouden er ook zoveel toeristen uit alle landen op af komen.

Als je door Bangkok rijdt, zie je het zelf: het is het grootste bordeel op aarde, op seksgebied gebeurt hier van alles. Er werken ontzettend veel vrouwen als hoer.

Dat komt ook doordat voor iedereen alles draait om geld. Een gezin op het platteland vraagt niet wat de dochter precies doet. Als ze geld binnenbrengt, is het goed. En de Thaise man is lui.

Maar het gaat wel van het ene uiterste in het andere. Terwijl het een met het grootste gemak kan, is het ander bijna onmogelijk. Een *Playboy* kopen is onfatsoenlijk. Een zoen geven in een soapserie op tv – het gebeurt nu wel af en toe, maar eigenlijk kan het niet. Ook dat is een onderdeel van wat ik noem de Thaise logica, of beter gezegd: de Thaise onlogica.

Ik wil het daarom hebben over wat er allemaal kan gebeuren als je in Thailand in de problemen komt en wordt geconfronteerd met de ándere kant van dat lekkere vakantieland.

In het begin denk je dat het vooral door de taalbarrière komt dat je elkaar niet helemaal begrijpt. Maar als je de taal beter onder de knie krijgt, merk je dat het komt door het grote verschil tussen de Thaise denkwijze en cultuur en de onze.

Ik heb geen hekel aan Thailand of aan de Thai, maar wel aan het systeem hier, aan wat je allemaal om je heen ziet gebeuren zonder dat iemand er iets aan doet. Wat mij het meest heeft verbaasd, is dat de Thai zoveel zaken klakkeloos accepteren, zonder er verder bij na te denken of er iets tegenin te brengen. Al worden ze nog zo getrapt, ze blijven buigen en desnoods likken.

Het lijkt wel of het Thaise gevangeniswezen is gebaseerd op het beginsel: hoeveel kan de gevangene slikken. De bewakers en de gevangenisleiding reageren gewoon niet op de dingen die binnen de gevangenismuren gebeuren. Of ze zeggen: laat maar, we willen niet nog meer problemen.

Wanneer je als gevangene ergens tegenin gaat, heeft de leiding natuurlijk genoeg manieren om je klein te krijgen. Dan houden ze bijvoorbeeld de post die je krijgt achter, of de brieven die je schrijft worden niet verstuurd. Als er bezoek voor je is, komt het bezoekbriefje niet bij jouw gebouw aan, of veel te laat. Alles wordt elke keer extra streng gecontroleerd.

Of je wordt overgeplaatst naar een ander gebouw, terwijl je je net een beetje thuis voelt in je cel en met je celgenoten, terwijl je daar een beetje vertrouwde plek voor jezelf hebt ingericht.

Dit lijken misschien kleine dingen, maar in de gevangenis is het alles wat je hebt. Daarom gaan de mensen, als ze maar vaak genoeg zo worden gekleineerd, uiteindelijk functioneren als makke schapen.

Die onderdanigheid heeft wel een keerzijde. De Thai kunnen dan wel ontzettend veel accepteren, maar áls ze doordraaien, als het zelfs hun te veel wordt, dan is het ook meteen 180 graden de andere kant op. Af en toe is dat wel leuk, maar vaak ook niet. Het kan dan echt behoorlijk mis gaan. Op zo'n moment merk je dat wij toch altijd de *farang* blijven, die westerlingen, of dat we worden afgeschilderd als lieden zonder manieren. Soms is dat trouwens ook wel zo.

Dat doordraaien kan gebeuren bij gevangenen die nog enige hoop hebben hier weg te komen en regelmatig aan hun familie en vrienden denken. Maar er zitten ook mensen bij die helemaal niets meer hebben buiten het gevangenisleven; van hen kun je natuurlijk alles verwachten, die hebben niets te verliezen.

Ik heb gezien dat mensen worden neergestoken om minder dan honderd baht, dat is twee euro.

De Thai tillen enorm zwaar aan zaken als iets moeten toegeven, het lijden van gezichtsverlies. Ze hechten er bijzonder aan de ander te respecteren en zelf gerespecteerd te worden. Des te merkwaardiger is wat ze allemaal slikken van de bewakers en zeker van de *blueshirts*, dat zijn medegevangenen die voor de bewakers werken en zo worden genoemd vanwege de blauwe hemden die ze dragen. Waar blijft dan hun gevoeligheid voor gezichtsverlies? Dezelfde lieden die vanwege de kleinste dingen kunnen doordraaien, leggen zich erbij neer als het om iets echt belangrijks gaat. Daar vechten ze niet voor, daar gaan ze niet tegenin.

Ja, ik weet ook wel dat iedereen egoïstisch is, geld nodig heeft en vooral aan zichzelf denkt. Ik heb ook helemaal geen hekel aan de Thai, maar na alles wat ik om me heen heb zien gebeuren, ben ik tot de slotsom gekomen: de Thai is de beste vriend die je kunt kopen.

Je hebt nooit privacy, altijd wordt er naar je gekeken. Dat verklaart ook dat in een gebouw met zo'n negenhonderd gevangenen er maar een stuk of zes bewakers aanwezig zijn. Die zitten dan nog voornamelijk op hun kont en laten de *blueshirts* (zelf gevangenen!) al het werk voor hen doen.

Dat is ook het beste beveiligingssysteem. Als je 's avonds je cel uit zou willen, is het probleem niet dat je over drie muren heen moet, maar dat het praktisch onmogelijk is iets te doen zonder dat vele ogen het zien en je meteen verlinken. Die ogen werken beter dan camera's.

We zeggen wel eens voor de grap: als er een aardbeving of zoiets plaatsvindt, zijn er zeker genoeg gevangenen die gewoon blijven zitten. Ja, ze zijn bang ook. Want áls er iemand zou ontsnappen, dan is degene die veel met hem optrekt en bijvoorbeeld traint met thaiboksen, daarvan absoluut het slachtoffer. En als ik slachtoffer zeg, dan bedoel ik ook echt slachtoffer.

Geen wonder dus dat er vrijwel niet uit de gevangenis wordt ontsnapt. Als je een beetje slim bent, is dat toch niet zo moeilijk. Maar iedere gevangene weet, dat er altijd anderen zijn die alarm slaan wanneer ze zien dat iemand een poging doet te ontsnappen. Dat levert de verrader voordeel op: een betere positie, eerder kans op strafvermindering.

Zodra een Thai ook maar iets in aanzien stijgt, verandert hij als een blad aan een boom.

In onze cel hebben we er een, die lijkt wel een lammetje. Hij is zo bang als een jongetje dat gewaarschuwd is dat hij niet aan de snoep mag komen als mamma even boodschappen doet, want dan eet hij straks niet meer. Die man verbaast me echt.

94

Maar o wee als hij het voor het zeggen zou hebben. Dan zou hij voor niemand anders ook maar één snoepje overlaten. Hij kan heel goed slikken en likken, maar als hij de kans krijgt, is hij nog erger dan de bewakers naar wie hij nu zo braaf luistert.

Soms wíl ik ze niet eens meer begrijpen. Dat is niet omdat ik ze haat, maar gewoon omdat ik merk dat ik mijn tijd ermee verdoe. Het enige dat ik van ze te horen krijg, is: 'Het is zo, dus is het ook zo.'

Thailand heeft ongeveer zestig miljoen inwoners. Tussen de tien en vijftien miljoen van hen wonen in Bangkok. Ik heb nooit beseft dat er zoveel Thai niet kunnen lezen en schrijven. Ze zijn niet geschoold en wonen in hutten. De mensen hebben het slecht – afgezien van de elite dan. Hooguit vijf miljoen Thai zijn goed af, althans wat betreft hun levensstandaard.

Voor de buitenwacht doet de regering alsof ze een voorbeeld stelt en de drugs aanpakt. Maar intussen wordt de kloof tussen de boven- en middenklasse en de rest van Thailand steeds groter.

In de jaren negentig was het gebruik van een soort speedpillen hier de gewoonste zaak van de wereld. Ze waren bij zowat elke benzinepomp te krijgen. Maar toen de naam werd veranderd en er een iets andere formule werd gebruikt, maakten de Thaise autoriteiten daarvan gebruik om per 1 januari 1997 die pillen van het ene moment op het andere te plaatsen in categorie 1 van verboden middelen, net als heroïne.

Vóór 1997 kreeg je een schop onder je kont als je deze pillen had; het werd, zeg maar, gedoogd. Maar sinds 1 januari 1997 krijgen mensen voor diezelfde pillen de doodstraf of levenslang. Vaak zijn handelaren in die pillen stumpers die niet eens weten waar ze hun handtekening onder zetten op het politiebureau.

Nu zijn de salarissen in Thailand net voldoende om mee in leven kunnen blijven. Als je jaren hebt gestudeerd vind je misschien een baan, maar wat je verdient is niet echt om over naar huis te schrijven. Dus wat krijg je? Je kunt ervoor kiezen af te zien met een schamel loontje, of je kunt voor zeg vijfduizend baht pillen kopen en proberen daarmee binnen een week meer dan het dubbele te verdienen.

Het sluitstuk van de strijd tegen de pillen is de oorlog tegen drugs, die minister-president Thaksin Shinawatra in de eerste maanden van 2003 ontketent. Die actie heeft ook de grote schoonmaak tot gevolg in de Lardyaogevangenis, waar ik dan nog vastzit.

In drie maanden tijd vallen er meer dan tweeduizend doden; het heeft er alle schijn van dat de politie een vrijbrief heeft gekregen om de drugshandel radicaal uit te roeien. Iedere politieagent kan kennelijk iedereen die niet in zijn straatje past klakkeloos neerschieten, zonder vorm van proces, terecht of ten onrechte. Hij kan vervolgens gemakkelijk een paar Thaise speedtabletten naast het lijk leggen. Grondig justitieel onderzoek wordt toch praktisch niet gedaan.

De Thaise politie zegt dat de meeste doden vallen door rivaliteit binnen drugsbendes, die oplaait als gevolg van het harde optreden van de overheid. Maar mensenrechtenorganisaties verklaren dat de politie beloond wordt voor het doodschieten van iedereen die maar verdacht wordt van drugshandel. Een onderzoek staat de Thaise regering niet toe.

Het is maar een van de ingrijpende veranderingen die Thaksin Shinawatra, die sinds 2001 minister-president is, heeft doorgevoerd. Hij is een voormalige politiechef en komt uit een goed milieu. In Thailand betekent dat: hij heeft connecties. Hij bezit een aantal lokale televisiestations en een groot telecombedrijf, dat hij met grote fiscale voordelen weet te verkopen.

Dat is voor zijn tegenstanders de druppel die de emmer doet overlopen. Zij demonstreren massaal in Bangkok en boycotten de verkiezingen begin april 2006. Thaksin treedt terug, maar nadat de verkiezingen ongeldig zijn verklaard, plaatst hij in mei zichzelf toch weer in functie als premier.

Niet voor lang: op 19 september plegen Thaise generaals een staatsgreep wanneer Thaksin in New York is; hij komt niet meer in zijn land terug. De generaals hebben de kennelijke steun van de koning, de staatsgreep verloopt in alle rust. Voor 2007 worden nieuwe verkiezingen aangekondigd.

Als er verkiezingen zijn, worden in elk dorp geldbedragen uitgegeven om stemmen te kopen. Wie per dorp of stadje het meest betaalt, krijgt de stemmen; zo werkt dat. Dat is dus de democratie in Thailand.

Het nieuwe regeringsbeleid heeft ook tot gevolg gehad dat er in één klap een groot aantal mensen in de gevangenis zijn terechtgekomen. Alleen de drie maanden oorlog tegen drugs hebben al 80.000 arrestaties opgeleverd. Geen wonder dat het sinds 2003 zo de spuigaten uitloopt. De cellen zitten vol met mensen die allemaal ontzettend hoge straffen hebben gekregen.

Er zitten een kleine 300.000 mensen in een Thaise gevangenis. De helft daarvan zit hoge straffen uit. Van het bestaan binnen de gevangenis worden ze niet bepaald beter, als ze er al ooit uit komen.

De gemiddelde Thai is bang. Bang voor de burgemeester, bang voor de lokale politie, bang om zijn mening te geven.

In Nederland, in heel Europa heb je nog een beetje het gevoel dat een mensenleven iets uitmaakt, dat de melkboer van de hoek evenveel rechten heeft als de directeur van welke multinational dan ook. In Thailand is dat zeker niet het geval. Tien meter verder in de gevangenis zit op de gang een voormalige generaal van politie. Hij is meer dan tien jaar geleden betrokken geweest bij een diamantenroof. Een Thaise medewerker van een koninklijk paleis in Saoedi-Arabië had een graai gedaan in een van de kastjes in het paleis en de stenen naar Thailand gebracht, waar ze via via bij deze man zijn gekomen.

Heel het gezin van die medewerker is vervolgens uitgemoord, tot de kinderen aan toe. De Thaise justitie heeft het onderzoek naar die moord gestopt, maar dat wilden de Saoedi's niet. Ook Amerika ging zich ermee bemoeien.

De politiegeneraal heeft, als hij na tien jaar eindelijk voor de rechtbank komt, levenslang gekregen voor de moorden, maar is in hoger beroep gegaan.

Wij zijn eigenlijk goed af met zo'n medegevangene. Ze willen hem duidelijk met rust laten, alle bewakers en zelfs de gevangenisdirecteuren zijn bang deze man het leven moeilijk te maken. Dus dat scheelt ons ook controles en bezorgt ons minder problemen.

Maar aan de andere kant, een onbeduidend persoon met tien moorden op zijn geweten, want zoveel zijn het er zeker geweest, had allang de doodstraf gekregen.

Het verschil tussen laag en hoog is te groot. Daardoor komt het ook dat de Thai niet protesteren tegen het feit dat een buitenlander na een aantal jaren naar zijn eigen land mag teruggaan en dan meestal snel vrijkomt. Een Thai komt hier nooit meer uit de gevangenis. Daar legt hij zich bij neer. Zijn uitgangspunt is: wij kunnen daar niets aan doen.

Het hangt dus helemaal van je nationaliteit af of je hier nog aan een toekomst kunt denken of niet. Op gelijke delicten volgen heel verschillende straffen. De een komt veel later vrij dan de ander. Dat versterkt ook de verschillen tussen de farang en de Thai in de gevangenis. Overigens is dat farang (spreek uit: faláng) absoluut geen scheldwoord. Het is een normale aanduiding van de westerling.

Een buitenlander uit een land waarmee een verdrag is gesloten over het overdragen van gevangenen, heeft na vier jaar – of acht jaar, bij een veroordeling tot levenslang – de kans terug te keren naar zijn vaderland. Daar moet hij dan nog een paar maanden de cel in, of misschien hooguit een paar jaar; dat verschilt per land. Amerikanen komen in elk geval binnen een halfjaar vrij.

Maar als een Thai die dezelfde straf heeft gekregen, of iemand die uit een land komt dat geen verdrag met Thailand heeft gesloten (of dat in Bangkok geen aanzien heeft), dan is het heel goed mogelijk dat diegene nooit meer de gevangenis uit komt.

Een simpel voorbeeld. Een Thai is in 1995 veroordeeld tot zeg 25 jaar. Hij heeft in 1996 een koninklijke amnestie gekregen, dat wil zeggen: er gaat een vijfde van zijn straf af. Dan resteert dus twintig jaar. In 2004 is er weer een amnestie. Dan gaat er een zesde af van die twintig jaar. In totaal moet hij dan ruim zestienenhalf jaar zitten. Hij heeft in 2004 dus nog steeds jaren voor de boeg. Maar iemand die in 1995 dezelfde straf heeft gekregen, maar uit een land komt dat een verdrag met Thailand heeft gesloten, is dan al meer dan vijf jaar een vrij man!

Ik heb met Thaise gevangenen gesproken over die ongelijke behandeling, en ze weten het allemaal. En al hun familieleden die bij ze op bezoek komen, hun vader, moeder, broer of zus, weten het. Maar ze vragen niet: 'Waarom is mijn zoon nog niet vrij, en die farang wel?' Ze komen niet met zijn honderden met spandoeken om te demonstreren, ze stappen niet naar de krant of de televisie. Ze kijken wel uit. Ze nemen het zoals het is, ze laten het over zich heen komen en denken er verder niet over na. Ze accepteren het onvoorwaardelijk.

Ik zal nog wat voorbeelden geven van de ongelijke behandeling.

Tony Green, een Amerikaan, is uiteindelijk veroordeeld tot vijftig jaar. Na vier jaar en vier maanden mag hij terug naar Amerika, dankzij het verdrag dat de Amerikanen met Thailand hebben gesloten. Drie maanden later komt hij voorwaardelijk vrij.

Leray, ook een Amerikaan, heeft 25 jaar celstraf gekregen. Na vier jaar en zes maanden mag ook hij terug; weer drie maanden verder komt hij voorwaardelijk vrij. Rodney en Rake, allemaal Amerikanen, van hetzelfde laken een pak.

Michael Ziegler is veroordeeld tot een gevangenisstraf van 35 jaar. Na vier jaar en drie maanden mag hij terug naar Duitsland. Hij zit daar nog een jaar vast, voordat hij voorwaardelijk vrij komt.

Bo, een Deen, heeft een straf van dertig jaar gekregen. Hij mag pas na zevenenhalf jaar terug, omdat de Denen, net als Nederland, laat een verdrag met Thailand hebben gesloten. Bo zit nog vijf maanden in Denemarken gevangen en komt daarna op vrije voeten.

Zo heb ik ook een stuk of tien Polen terug zien gaan, en tussen de vijf en tien Fransen. Italianen ook, Zwitsers, Spanjaarden, noem maar op. Alleen de Engelsen houden hun landgenoten in eigen land lang vast, nadat die via een verdrag uit Thailand zijn overgekomen.

Maar een man uit Hongkong die een gevangenisstraf van 25 jaar heeft gekregen, heeft vijftien jaar hier moeten doorbrengen. Alleen dankzij twee keer een koninklijke strafvermindering mag hij dan naar huis.

Een Taiwanees heeft 25 jaar gekregen, een landgenoot zestien jaar. Zij hebben hun straffen allebei tot de laatste dag moeten uitzitten. Een derde veroordeelde in dezelfde zaak zit hier nog steeds. Hij heeft aanvankelijk levenslang gekregen, maar zijn straf is omgezet in 33 jaar.

Hetzelfde geldt voor een man uit Singapore die levenslang heeft gekregen en van wie de straf is verlaagd tot 33 jaar. En ook voor een Thaise man met wie ik samen in de cel heb gezeten.

Zo zijn er duizenden die in principe dezelfde straf hebben en tegelijkertijd de gevangenis zijn binnengekomen. Maar de een is al binnen vijf jaar thuis, terwijl de ander daar geen enkel uitzicht op heeft. Het is echt belachelijk, maar er gebeurt niets tegen.

Voor ons is dat misschien moeilijk te vatten, maar voor de Thai is het de gewoonste zaak van de wereld. De Thai is bang, want in zijn land bestaat geen democratie. Thailand is gewoon een politiestaat.

Eén keer zijn de gevangenen wel in actie gekomen. Dat was zo'n twintig jaar geleden. Toen is er in de Bangkwang-gevangenis een grote opstand geweest. Het leger is binnengevallen om de revolte neer te slaan, en daarbij zijn ongeveer tweehonderd doden gevallen. Maar de levensstandaard is als gevolg van die opstand wel iets beter geworden – in alle Thaise gevangenissen trouwens – al is die nog steeds niet echt goed te noemen.

Gewoon een simpele staking, niet meer werken of eten voor één of twee dagen, is al genoeg om de aandacht te trekken, maar de Thaise gevangenen organiseren het niet. Ze weten allemaal hoe het in elkaar zit, maar vechten er niet tegen en laten het maar zo. Een Thai die de gevangenis binnenkomt, gaat ervan uit dat hij weinig rechten meer heeft.

Wanneer hier iets gebeurt waar niemand blij mee is, of als er nieuwe regels worden uitgevaardigd die nergens op slaan, maar de levensomstandigheden nog slechter maken, dan zijn het de buitenlanders die er tegenin gaan, ertegen protesteren en er wat aan proberen te doen. Als je de Thaise gevangenen vraagt hun handtekening onder een protest te zetten, dan moeten ze eerst honderden andere namen zien staan voordat ze dat ook durven.

Zie het voor je. Er zitten gemiddeld duizend man in een gebouw, met ongeveer acht bewakers. Als een bewaker, terecht of ten onrechte, iemand wil straffen en hem halfdood slaat – of helemaal dood, dat gebeurt ook – dan nog durven de Thai zelf niet in te grijpen. In de Bangkwanggevangenis komt dat minder voor, moet ik zeggen, maar in andere gevangenissen in Thailand gebeurt het aan de lopende band.

Slikken, slikken, slikken – dat kunnen ze hier als geen ander. Maar als ze de kans krijgen, dan knijpen ze hun eigen mensen net zo hard af, ook al weten ze maar al te goed hoe ze het tevoren zelf hebben gehad. Dat doen ze natuurlijk niet allemaal, maar het zijn er wel veel.

Ik heb ook bijna nooit een Thai horen schreeuwen als hij wordt toegetakeld, hoe klein of oud hij ook is. Er is ze wat je noemt wel discipline bijgebracht. Ze zeggen na afloop bij wijze van spreken nog 'dank je wel' ook.

De meeste Thai die gearresteerd zijn, bekennen schuld, of ze nu echt schuldig zijn of niet, in de hoop dat ze maar een halve straf krijgen of niet helemaal afgebeuld worden voordat ze bekennen. Meestal kunnen ze het ook niet betalen om hun zaak aan te vechten.

Bovendien krijgen de politieagenten geld en promotie als beloning voor elke arrestatie. Dat maakt het gemakkelijker iemand maar te veroordelen. De agenten worden er beter van, de rest is niet belangrijk.

Aan de andere kant wordt de zoon van een van de grootste criminelen – maar wel actief in de politiek – die iemand in een volle disco door zijn hoofd knalt, na anderhalf jaar voorarrest vrijgesproken, ook al is alles op video opgenomen. Zijn vader doet gewoon mee aan de verkiezingen voor burgemeester van Bangkok; hij is het niet geworden trouwens.

Deze feiten kent iedereen, maar niemand doet er iets mee en er wordt in het openbaar niet over gesproken.

Intussen zijn de Thai maar wat trots op hun land. Daar is natuurlijk niets mis mee, maar ik vraag me af of ze wel écht trots zijn, of gehersenspoeld. Ze krijgen van kinds af aan immers zoveel onzin over hun geschiedenis te horen. Als er een sportevenement is, lijkt het alsof David tegen Goliath moet spelen. Ze zijn dan ook zo blij als een kind als ze winnen. Maar het heeft ook wel zijn charme, hoe gek het misschien klinkt.

Ja, voor mensen die hier langer verblijven of meer te weten zijn gekomen van de Thai, hun land en hun cultuur, is er eigenlijk vooral sprake van een haat-liefdeverhouding. Thailand! Het heeft zijn goede én zijn slechte kanten. De Thai zelf, nee, ik haat ze niet. Zij zijn een deel van mijn leven geworden. Ik begrijp ze af en toe alleen niet, al spreek ik hun taal. Ik probeer het ook niet meer, daar ben ik allang mee gestopt. Het is gewoon een kwestie van verschillende culturen – gelukkig maar. Anders was alles zo saai.

Het staats- en rechtssysteem van dit land, de wetten, de rechtspraak, dat soort zaken moet natuurlijk wel veranderen. Thailand wil toch een modern land zijn, en zoals het nu gaat, is het helemaal in strijd met de tijd waarin we leven. Maar er lijken wel zaken te veranderen. Wie weet, de wonderen zijn de wereld nog niet uit.

Thailand, wat kent het toch veel tegenstrijdigheden. Het is o zo mooi, en o zo lelijk.

10. Bangkwang: in de plantenkwekerij

Het begin in Bangkwang is puur slecht. Direct na de veroordeling tot levenslang, op 31 oktober 2003, word ik van Lardyao hier naartoe overgebracht. Ik krijg zeven kilo zware kettingen om mijn enkels. Daar moet ik vier maanden mee rondlopen. Ik kan voorlopig niet meer sporten, dus ook niet mijn conditie op peil houden. Bovendien veroorzaakt het snijdende metaal bloedende wonden aan mijn enkels. Omdat ik om me te wassen nog maar alleen het rivierwater kan gebruiken dat je hier krijgt, zijn de wonden geïnfecteerd en gaan etteren. Als ik bezoek krijg, durf ik ze niet eens te laten zien, uit angst voor represailles van de bewakers.

Na een week is een bewaker zo vriendelijk de metalen banden om mijn enkels wat anders te zetten, zodat die niet meer zo in mijn huid drukken. Dat scheelt in elk geval iets.

Al na een maand mogen de kettingen eraf, gelukkig. Dat gebeurt na zware druk van de Nederlandse ambassade en parlementariërs. Vooral Jules Maaten, VVD'er in het Europees Parlement, heeft zich daarvoor ingespannen. Hij is blij me zonder kettingen te zien, als hij in december weer op bezoek komt.

Mijn wonden genezen gelukkig snel, net als de abcessen die ik heb opgelopen door de besmettingen. Ik kan weer sporten! Meteen heb ik boksmateriaal opgevraagd en heb ik het thaiboksen weer opgepakt.

De gebouwen waar wij in verblijven, zijn in Bangkwang iets kleiner dan die in Lardyao. Het zijn rechthoekige betonnen dozen van 160 bij 60 meter, met nagenoeg geen groen. Het is hier veel kaler dan in Lardyao. Alleen de bezoekersruimte ziet er goed uit.

De Thai weten hoe ze het er mooi kunnen laten uitzien aan de buitenkant, maar dat kan niet verbloemen dat daarachter de mensen wel twaalf, vijftien, twintig jaar of nog veel langer worden vastgehouden.

En bovendien, het bezoek moet op afstand blijven. Je mag elkaar niet aanraken, terwijl dat juist zo belangrijk is voor veel mensen; het kan beslissend zijn om hun relatie in stand te houden.

Een of twee keer per jaar krijg je een open bezoek, waarbij je wel met elkaar contact mag hebben. Maar als je dan een zoen geeft, klinkt het meteen al: 'Dat kan niet, hoor!' Wat willen ze dan?

De cellen in Bangkwang zijn veel groter dan in Lardyao. In mijn cel zitten zeventien man. Er zijn zelfs cellen met 28 man. Ik zou niet weten hoe ik zou kunnen slapen met 28 man in één cel, er is nu al haast geen plaats.

Het regime is vrijer dan de laatste jaren in Lardyao het geval is. In Bangkwang mag je wel pakketjes ontvangen. De bewoners van elk gebouw mogen twee keer per week bezoek krijgen, zowel 's morgens als 's middags.

Ook is het toegestaan zelf te koken, wat in Lardyao niet meer mag. Je moet er wel voor betalen.

Het is weer zo'n voorbeeld van wat ik de Thaise logica noem. Het zijn allebei gevangenissen in Bangkok, en toch moeten honderdduizend mensen lange celstraffen uitzitten onder zulke verschillende omstandigheden.

Gewone douches zijn er weer niet in Bangkwang. Ik begrijp niet dat ze die hier niet aanleggen. Ze hebben het maar over de hoge kosten van water, terwijl dat in het algemeen gewoon uit de rivier komt.

In Lardyao is een rij met 25 douches, je hoeft buiten maar op een knop te drukken en er komt water uit. Daar is ook water in de cellen. Misschien komt dat in Bangkwang ook nog eens.

Om zes uur 's morgens gaat het tl-licht boven mijn hoofd aan in de cel. Met een badlaken, dat ik heb vastgemaakt aan de muur en mijn televisie, heb ik een soort tent gemaakt, zodat het wat donkerder blijft. Het is ook warmer, want de ventilator kan dan moeilijker in mijn richting blazen. Maar ja, het is het één of het ander.

Zodra de deur wordt opengemaakt om halfzeven, ga ik mijn cel uit. Ik breng dan mijn koeltas en mijn tafeltje en stoeltje naar onze plek buiten.

Ik doe de bestellingen voor die dag, ga naar de wc en loop dan naar de plek waar Paul zit, de Fransman die links van mij in de cel slaapt. Daar drink ik koffie met hem, William en Christian, en maken wij een ochtendpraatje.

Na de koffie ga ik snel mijn tanden poetsen en gooi ik een paar bakken water over me heen. Ik doe mijn broekje aan om te gaan sporten, thaiboksen of iets anders. Daar ben ik gauw anderhalf uur mee bezig.

Daarna is het even uitzweten en me weer wassen. Dan ga ik naar onze plek in de zon, waar ik altijd zit met twee goede vrienden, William uit Singapore, die ik al langer ken, en Jo uit Thailand.

Meestal is Jo al bezig met het voorbereiden van het eten als ik bij ons plekje kom, maar soms kook ik. Chili con carne is mijn specialiteit.

Ik haal doorgaans het ijs op, kiep dat in mijn koeltas en verschoon de koelkist. IJs hebben we elke dag hard nodig om ervoor te zorgen dat onze etenswaren houdbaar blijven.

Zo tegen halftwaalf gaan we wat eten. De post komt ook

vaak rond deze tijd binnen, dus ga ik even horen of er ook post voor mij is.

Na het eten rust ik meestal wat uit, soms val ik een paar uur in slaap. Of ik wandel wat van de ene kant van het gebouw naar de andere en maak een praatje. Daarbij kom ik altijd wel iemand tegen, dat kan niet missen.

Meestal vraagt een gekke man uit Singapore of ik met hem ga rennen. Soms doe ik dat, soms ook niet, omdat ik wat anders wil, touwtje springen of andere lichaamsoefeningen doen. Dat is meestal zo rond kwart over één en neemt dik een uur in beslag.

Om halfvier moeten we de cel weer in; in het weekeinde zelfs al rond drie uur. Het is zaak bijtijds voor te bereiden welke spullen je mee de cel in wil nemen. We eten en drinken nog wat, ik was mezelf weer en wacht tot we naar binnen gaan.

Daar leg ik altijd mijn spullen netjes op zijn plaats. Het is van groot belang je leefsituatie zo hygiënisch mogelijk te houden. Daarvoor is het wel weer nodig dat je over geld beschikt. Ik koop schoon water om me te wassen, zeep, een tandenborstel en tandpasta.

Alles wat je dagelijks nodig hebt, eten, toiletspullen, noem maar op, moet je kopen. Maar wat je in de gevangenis bestelt, vooral groenten, fruit, vlees enzovoort, is twintig procent of zelfs meer duurder dan buiten de gevangenis. Wat denken ze wel? Er zitten hier zoveel mensen die totaal geen steun krijgen van familie, vrienden of hun regering. Die hebben helemaal geen geld. En toch is alles hier duurder.

Dagelijks lucht ik mijn matras, elke week neem ik schone lakens. Dat matras en die lakens moet je ook allemaal zelf zien te regelen. Als je daar geen geld voor hebt, slaap je gewoon op de grond.

Mijn kleren laat ik elke dag wassen. Ik heb twee korte broeken en twee onderbroeken, zodat er altijd een in de was kan zijn.

Als we 's middags weer onze cel in moeten, maak ik ook alvast de koffie in orde voor ons. We worden geteld, en dan zitten we weer zo'n vijftien uur in dat hok.

Je kunt er een boek lezen, tv kijken of een praatje maken, maar na een tijd heb je natuurlijk ook wel eens weinig te zeggen tegen je celgenoten. Je kunt ook een spelletje spelen, maar daarvoor is maar weinig ruimte, dus als het warm is en vies benauwd, zeker in april, mei en juni, is dat afzien.

Zo rond zes uur eet ik nog wat en drink een kop koffie. Meestal val ik rond een uur of tien, elf, soms pas om twaalf uur in slaap.

Maar een man die naast mij ligt, zeg maar tegen mij aan, gaat al om acht uur slapen. Dat lukt natuurlijk niet, dan draait hij van zijn ene zij op zijn andere. Ook al slaapt hij met oordopjes in, hij kan een speld horen vallen.

Zoals ik het nu beschrijf, lijkt het misschien allemaal niet zo gek, maar het wordt wel een sleur, dag in dag uit steeds maar hetzelfde. Je moet er zelf iets van zien te maken om niet alleen maar naar de muur te zitten kijken.

Eigenlijk is er helemaal niets te doen. Waar je ook om je heen kijkt, er zit altijd wel iemand met datzelfde probleem. Toch kom ik soms tijd te kort. Maar andere keren gaan de dagen o zo langzaam.

Sommigen maken wat van hun gevangenschap door te zorgen dat ze beesten om zich heen hebben. Ik merk dat dat goed voor ze is. Dus het is mooi meegenomen dat er in Bangkwang katten in overvloed zijn.

Op ons eigen plekje, waar William, Jo en ik altijd zitten, vinden we ineens twee jonge katjes. Hun moeder is ook definitief bij ons ingetrokken. Zodra we weten of het vrouwtjes of mannetjes zijn, krijgen ze een naam. Als ze blijven leven.

Op die plek heeft een tijd lang ook een betonnen bak gestaan, waarin twee Hongkong-Chinezen kikkers kweken. Ze verkopen die kikkers voor honderd baht per kilo (zo'n twee euro), uiteraard samen met een bewaker. Maar die bak is weggehaald.

Tien meter verderop staat ook nog een vroegere kweekvijver voor kikkers, maar die is nog niet gesloopt. Nu laten ze er rivierwater in lopen.

Als ik het te heet krijg – want het is goed warm in Bangkok – kan ik wat van dat water over me heen gooien. Later spoel ik me wel af met schoon water, dat ik moet kopen.

Daarachter is een hek dat een afscheiding vormt van de afdeling waar de ter dood veroordeelden verblijven. Die hebben daar ook een plekje waar ze wat frisse lucht kunnen pakken.

Door de week mogen ze 's morgens een uur sporten. Een van de jongens uit de doodstrafafdeling, een Thai die ik nog ken uit Lardyao, helpt me dan als ik train voor thaiboksen; hij houdt de trapkussens voor me vast.

Na wat rust ga ik nog even door met trainen met Kho, een man uit Hongkong. Hij is al over de veertig, maar gaat steeds meer vooruit. Soms schreeuw ik tegen hem dat hij meer zijn best moet doen. Dat is niet verkeerd bedoeld, dat weet Kho; hij vindt het ook prettig om met mij te trainen. Hij is leergierig, dat doet mij en hem goed.

Als we klaar zijn, haalt hij of ik wat te drinken bij de koffieshop. Hij zegt: 'Bedankt, trainer' en ik bedank hem. Kijk, dat zijn nu de momenten dat ik niet voel dat ik in de gevangenis zit.

Ik weet niet hoe ik de tijd hier zou zijn doorgekomen zonder thaiboksen. Het is voor mij een geweldig middel geweest om mezelf al die jaren op de been te houden. Ik heb thaiboksen altijd al een van de mooiste sporten gevonden, maar dat ik hier tussen de Thai heb kunnen trainen en de sport steeds meer ben gaan begrijpen, is voor mij een heel positieve ervaring. Het hele land is dan ook gek van deze sport.

Zaterdagmiddag rond twaalf uur is er altijd thaiboksen op de televisie. Dan zitten er wel vijftig Thai voor de tv te kijken en een beetje te wedden. Ik ben daar dan ook bij, ik vind dat wel leuk.

Naast mij zit een Thai die we *Antjaan* noemen, dat is 'leraar' in het Thais. Hij is ongeveer 54 jaar en 1,50 meter lang. Hij knipt mensen hun haar, verkoopt koffie en sigaretten en doet graag op zijn manier mee met thaiboksen.

Ja, we hebben hier van alles. Sommigen zijn dokter, tandarts, alles tegelijk. Zonder enig diploma natuurlijk. Hele operaties worden soms verricht, met acupunctuur. Alles is beter dan het gevangenishospitaal.

Het is waarschijnlijk moeilijk voor te stellen, maar op een gegeven moment went veel. Mensen zijn vindingrijk, zeker sommigen die niets of niemand meer hebben, maar zichzelf jarenlang redelijk kunnen redden door zich nuttig te maken en keihard te werken.

Zo'n vijf weken geleden komt Antjaan langslopen om even te sparren bij het thaiboksen. Dan vertrekt hij heel zijn gezicht van: 'Ah, kom maar op!' Ik laat hem meestal even slaan. Ik weet niet wat er gebeurt, maar opeens krijg ik een tik vol op mijn bek. Ik weet wel dat het niet zijn bedoeling is, maar ik trap hem toch even weg. Dat is even genoeg, voor de rest is er geen probleem. Nu kunnen we weer samen dollen en om elkaar lachen.

'Michael,' vraagt hij, 'wie is goed, de rode of de blauwe?' Ik antwoord: 'Ik heb de bokser met de blauwe broek geko-

zen, maar niets is zeker.' Hij zegt: 'Geef mij honderd baht.'
Blauw wint! Mooi zo.

Thaiboksen is een sport die goed is voor zowel lichaam als geest. Het is niet alleen elkaar verrot trappen en slaan, zoals veel mensen denken. Bij thaiboksen horen ook zaken als discipline en respect.

Ik kan het iedereen aanraden. Niet om de ring in te stappen, maar gewoon als fitnesstraining, als middel om jezelf beter te voelen en er tegelijk beter uit te zien.

Op een keer zie ik hoe Robert, een maat van mij, foto's scheurt uit een soort Thaise *Penthouse*. Dus ik vraag: 'Waarom haal je die foto's eruit?'

Hij begint te vertellen: 'Chiel, in die Thaise blaadjes staan allemaal omgebouwde mannen, ladyboys of op zijn Thais *katoi*. Kijk: is dit een vrouw of een man?'

Ik weet dat hij die verzamelt en overal foto's uit scheurt.

'Kijk dan, Chiel, dat is toch geen vrouw.'

Ik begin te lachen: 'Rob, als je twijfels hebt en ze bevallen je niet, doe ze dan weg.'

'Nee, kijk dan!'

Dus ik kijk naar zijn foto's. 'Nou, bij velen zie ik het wel, maar volgens mij verbeeld je je wat. Maar doe wat je wilt, in elk geval heb je wat omhanden.'

Ik kan erom lachen, maar aan de andere kant is het ook triest. Dit zijn van die eigenaardigheden die je krijgt als je hier al jaren zit. Je gaat vreemde dingen zien, je wilt jezelf horen of zoiets. Het is me opgevallen dat veel mensen die eenmaal een flinke tijd vastzitten, graag praten om te praten of om hun eigen stem te horen. Of de anderen daarnaar luisteren of er alleen maar beleefd bij staan, doet er voor hen eigenlijk niet toe.

Ik hoop dat ik dit zelf niet heb, maar misschien heb ik

wel ergens anders last van, iets waar ik me niet eens van bewust ben. Ik weet niet eens in hoeverre ikzelf niet ook van die afwijkingen ontwikkel, of dat er iets niet meer helemaal goed met me is. Echt erg is het niet, maar ik denk dat het goed is jezelf bezig te houden, al is het soms zelfs met zaken of met mensen waar je je normaal niet zo gauw mee zou ophouden. Als je maar uit die sleur raakt, anders verword je tot een robot en kom je op een gegeven moment niet meer tot iets anders.

Natuurlijk zijn de mogelijkheden hier beperkt, maar toch.

Zo ga ik van tijd tot tijd naar de kapper. Die man zit hier al twaalf jaar en heeft nog steeds zijn definitieve vonnis niet te horen gekregen. Hij wacht al een kleine drie jaar op een uitspraak in zijn cassatieverzoek. Dat wordt behandeld door een rechtbank buiten Bangkok en dan duurt het meestal nóg langer.

Meestal ga ik naar hem toe omdat hij begint te zeuren: 'Michael, je moet geknipt worden', terwijl ik het juist iets meer wil laten groeien. Dan loop ik bij hem binnen en zeg: 'Niks eraf, hoor, alleen in mijn nek wat wegscheren, mijn wenkbrauwen doen, de haren in mijn oren en mijn neus, en dat is het.'

'Ja, ja,' stelt hij mij gerust. Hij lult altijd de oren van mijn kop, maar knipt nooit iets van mijn haar af als ik het niet wil.

Ik ga iets achterover zitten. De haartjes in mijn oren en neus knipt hij met een schaar weg, voor mijn wenkbrauwen gebruikt hij een tondeuse. Ik ga ervan uit dat hij wel weet wat hij doet.

Maar het duurt dit keer wel lang, dus ik kom overeind om te kijken. Daar heeft hij bijna mijn hele wenkbrauw weggehaald aan een kant!

Ik roep: 'Wat flik je me nou!'

Hij mompelt: 'O, sorry.' Maar nu hij uitgeschoten is, moet de andere kant ook maar. Ik ben er niet blij mee, maar ik ga er maar van uit dat het echt een ongelukje is. Er zijn ergere dingen, dus we hebben er toch maar om zitten lachen samen.

Op de gang, waar ook mensen slapen, zie ik de Kreupele. Die man kon lopen toen hij hier binnenkwam, maar beweegt zich nu voort in een rolstoel. Hij heeft geen gevoel meer in zijn benen.

Ik zie hem op handen en voeten naar het toilet schuifelen, om zich te wassen, denk ik. Buiten voor de deur staat zijn rolstoel. Nu is die man nog zo sterk, maar hoe zal het zijn over tien jaar, als hij hier misschien nog steeds zit? Dat is heel goed mogelijk. Hij is een Chinees, en met zijn land bestaat geen verdrag waardoor hij na een aantal jaren hier weg kan.

Over tien jaar is hij een vijftigplusser. Is hij dan nog sterk genoeg om te kunnen doen wat hij nu doet, om zich hier zo voort te bewegen?

We hebben een nieuw hoofd van ons gebouw, de building-chief. Ik zie hem voor het eerst op een ochtend als ik aan het trainen ben. Hij heeft het erg druk met het bekijken van alles en het rondlopen in gebouw 2.

Hij is afkomstig van gebouw 3. Wat ik zo hoor, is hij niet verkeerd. We zullen wel merken of we beter of slechter af zijn.

Dat de vorige buildingchief, die hier nog maar net drie maanden heeft gezeten, moet verdwijnen, heeft zeker ook te maken met de moord die hier een week eerder is gepleegd. Er zijn wel erg veel mensen doodgegaan in de korte periode dat hij de leiding heeft gehad over dit gebouw. Dan worden al mensen achterdochtig, ze veronderstellen dat hij de dood met zich meeneemt. Bijgeloof of niet, het roept misschien wel de vraag op of hij iets verkeerd doet hier in gebouw 2.

Het enige wat ik hem zie doen als hij 's morgens aankomt, is zijn kamer met airco binnen gaan. Alles wordt verder voor hem gedaan, dus zoveel verkeerds kan hij ook niet doen.

Ik loop elke dag wel tien keer langs zijn kantoor, omdat het plekje waar ik met mijn vrienden zit of eet, daar in de buurt is. Maar ik heb nog nooit een woord met hem gesproken of hem zelfs gegroet. Ik heb hem ook niets te vertellen.

Lieden als hij leven hier als god in Frankrijk, met hun slaven die alles voor ze doen.

Die moord waardoor de buildingchief waarschijnlijk zijn functie is kwijtgeraakt, heeft het leven gekost van het hoofd van de *blueshirts*. Die man heeft al heel wat mensen verraden, maar kennelijk heeft iemand er nu geen genoegen meer mee genomen.

De opperblueshirt heeft de poort van ons gebouw niet meer gehaald. Hij is boven in het slaapgebouw, waar hij is neergestoken, gevonden en beneden op een rijdende brancard gelegd, maar dan sterft hij.

Ik ken deze man al zolang ik in Thailand vastzit. In Bombat heb ik al problemen met hem gehad. Hij is na zijn veroordeling meteen in Bangkwang terechtgekomen, terwijl ik naar Lardyao ben overgeplaatst. Hij is een voormalige politieagent. Als hij wat van je weet en je kan naaien, dan doet hij dat, zo'n type.

Waarom hij precies is vermoord, weet ik niet, maar hij heeft vast weer iemand zo het bloed onder de nagels vandaan gehaald, dat het diegene te veel is geworden. Dan hoeft het maar een verkeerd woord te zijn, zo gehaat is die hoofdblueshirt.

Terwijl hij zich aan het wassen is, wordt hij neergestoken door een paar jongens die zich in de wc hebben verstopt. De hoofdverdachte heeft al driehonderd jaar, dus die komt toch de gevangenis niet uit en heeft ook verder niets om naar uit te kijken. Hij heeft er misschien een paar duizend baht voor gehad.

Ik kan het wel begrijpen. Als ik die verraders zie – want ik weet dat er blueshirts zijn die alles wat ze te weten komen, doorbrieven aan de bewakers – dan denk ik wel eens: mocht er wat gebeuren, dan zul je het bezuren. Ik zorg er dan wel voor dat zo'n persoon wordt gepakt en de isolatiecel in moet. Zijn klassering gaat dan naar beneden, en dat is een slechte zaak voor je als er een strafvermindering wordt afgekondigd.

Het is een heel merkwaardig fenomeen in de Thaise gevangenissen, die blueshirts. Ze moeten er eigenlijk zijn voor zowel de bewakers als de gevangenen, maar ze voelen zich vaak meer een bewaker dan een gevangene en azen erop mensen ergens op te kunnen pakken. Ze hebben ook merkwaardige privileges. Zo mogen de blueshirts de brieven lezen die andere gevangenen schrijven of ontvangen. Ze mogen ook een soort knuppeltje dragen.

Blueshirts vinden het over het algemeen niet erg om een medegevangene te verraden of nog een extra straf aan te smeren, wanneer ze hebben ontdekt dat diegene iets doet wat niet mag. En die blauwhemden komen er meestal nog mee weg ook. Tenzij ze het te bont maken, zoals die ene opperblueshirt.

Tijdens mijn eerdere verblijf in de Lardyaogevangenis hebben de blueshirts wel een keer een duidelijk lesje gekregen. Lardyao is dan zo'n beetje een compleet blauwhemdenkamp geworden. Er zijn op een gegeven moment wel zestig blueshirts per gebouw. Met zo'n overmacht willen die lieden graag ook wel eens een mep uitdelen met de knuppeltjes die ze krijgen van de gevangenisleiding. Op een keer ontstaat er in ons gebouw van Lardyao een grote knokpartij. Alle blueshirts zijn ineens hun knuppeltje kwijt. Ze zitten al gauw onder de blauwe plekken. Natuurlijk komen er meteen blueshirts en bewakers van alle andere gebouwen gebouw 2 binnen en wordt de opstand al snel gesmoord. Maar dan is de blueshirts wel duidelijk gemaakt dat ze toch in de minderheid zijn en niet alles kunnen flikken. Het zou voor de gevangenen hier zoveel beter zijn zonder het rare verschijnsel van de blueshirts. Maar deze tent draait wel op hen.

Overigens zijn niet alle gevangenen die voor bewakers werken echt slecht, maar ik denk dat de verraders onder hen in Nederland of in de meeste andere landen in de gevangenis geen leven zouden hebben.

Sommigen lopen hier echt rond alsof ze de directeur zelf zijn. Ze zijn maar een gevangene, net als jij, maar ze kunnen een medegevangene nog meer problemen bezorgen dan hij al heeft. En waarom?

De beste buildingchiefs, is mijn ervaring, zijn zij die zich nergens mee bemoeien. Nu doen ze toch al niet veel; alleen orders geven aan de bewakers die onder hen vallen, en die laten het weer over aan de blueshirts.

Als de buildingchiefs de mensen hun gang laten gaan en geen problemen veroorzaken, dan heb je het beste systeem in een situatie met duizend man per gebouw, die allemaal op hun manier hun eigen leven leiden. Als die een beetje hun gang kunnen gaan, heb je minder stress en minder spanning, minder ruzie en minder geweld.

De mensen kunnen de tijd in de gevangenis nu eenmaal beter doorkomen als ze zelf de dingen kunnen regelen waarbij ze zich prettig voelen.

Het Thaise gevangenissysteem verandert toch niet. Wie het zich kan veroorloven, betaalt om niet te hoeven werken, betaalt om een beter leven te hebben. En wie niet kan betalen, doet dingen voor anderen, zodat hij het zelf ook wat beter heeft.

Alles draait hier om geld, dus om hulp van familie of vrienden, zodat je het wat beter kan hebben. Wie niemand heeft om hem te helpen, heeft het in Thaise gevangenschap veel zwaarder. Die moet knokken, dag in dag uit, voor de gewoonste zaken om zijn leven een beetje draaglijker te maken. Zaken die eigenlijk gewoon door de gevangenis moeten worden verzorgd.

Een slimme bewaker kan aardig wat verdienen, meer dan zijn salaris in elk geval. Daar hoeft hij niets illegaals voor te doen, hij hoeft alleen maar dingen te regelen die mensen nodig hebben, spullen te kopen voor gevangenen.

Thaise bewakers! Natuurlijk, de een is beter dan de ander, maar soms vraag je je af: wie is hier de crimineel? Het systeem maakt dat ze zijn zoals ze zijn, maar aanzien hebben ze niet, zeker niet bij mij. En sommige zou ik graag wel eens willen zien lijden en janken als een speenvarken.

Er zijn bewakers, ik heb het dan over de gewone jongens, die elke maand tussen de twintig- en vijftigduizend baht verdienen aan zaken die ze voor de gevangenen opknappen, terwijl hun salaris misschien hooguit twaalfduizend baht is. Dat is dus niet gek. En iedereen doet eraan mee.

We hebben een nieuwe gevangenisdirecteur die in het begin alles in eigen hand wil houden en niets aan de lagere bewakers wil overlaten. Die zijn niet blij met hem. De directeur heeft al gauw een stap achteruit moeten doen; hij laat dan alles zo'n beetje zoals het is. Maar ik weet zeker dat de bewakers hem het liefst zien vertrekken. Hij heeft er een tijd een gewoonte van gemaakt zichzelf te vertonen op de kabeluitzending van Bangkwang-tv. Dan zit hij in zijn stoel allemaal onzin te vertellen. Niemand luistert ernaar, ook al klinkt zijn stem door alle luidsprekers in elk gebouw. Maar dat is wat minder geworden, de laatste tijd.

Jody, de jongen die naast me slaapt, moet een keer komen opdraven om wat in het Engels op de televisie voor te lezen. Het gaat over het reclasseringssysteem; hij moet vertellen wat er allemaal wordt gedaan voor de gevangenen, dat ze een vak kunnen leren en als alles goed gaat, voortijdig kunnen worden vrijgelaten.

Jody vraagt waar dat op slaat. Daar kan toch niemand van ons gebruik van maken? Inderdaad, het blijkt alleen om kortgestrafte gevangenen te gaan. Maar die zitten er helemaal niet in Bangkwang, dus waar dient al deze poespas voor?

Een andere keer moet Jody een maand naar het gevangenisziekenhuis om Engelse les te geven aan een hoofdarts daar. Dat is een vreselijke man die ervan houdt om mensen enorm te kleineren, maar voor Jody telt dat niet. Hij is er even een maand uit, in een andere omgeving, en er lopen nog zusters rond ook. Hij hoeft bovendien maar weinig tijd te besteden aan echt lesgeven.

Met grote regelmaat worden in de cellen controles uitgevoerd. Alles wordt dan overhoop gehaald en gesloopt, zodat de bewakers ons beter in de gaten kunnen houden. Ja, acht bewakers op duizend man in één gebouw, dat gaat een beetje moeilijk. Ook de plek waar ik en mijn vrienden zitten, wordt regelmatig gesloopt. Ze doen maar.

Bij zo'n controle worden alle tv-toestellen, walkmans, cd-spelers en wat ze maar van die aard kunnen vinden, in beslag genomen. Al die spullen komen via de bewakers binnen en er is ook niets illegaals aan, maar zo verdient de overheid weer wat aan ons.

Daarom heb je hier altijd wel ergens geld voor nodig. Geen geld betekent nog meer afzien. Het is gewoon ons het leven zuur maken, daar zijn de autoriteiten goed in. Het zal mij niet verbazen als dan ook weer allemaal nieuwe regels worden uitgeprobeerd. Het wordt alleen maar slechter voor de mensen in 'Bangkwang Resort'.

Door dit soort acties raakt iedereen alleen maar meer gestrest. Dan ontstaan er meer irritaties, dus meer problemen tussen gevangenen onderling. Maar ze willen je zien lijden, lijkt het wel.

Nog zo'n treiteractie: aan de buitenmuur van het slaapgedeelte van gebouw 2, waar de cellen zijn waarin wij van halfvier 's middags tot halfzeven 's ochtends moeten verblijven, zijn telefoonblokkeerders geplaatst. Mensen die over een mobiele telefoon beschikken, kunnen dan geen verbinding meer hebben. Dat wil zeggen: twee van de drie providers worden geblokkeerd; met Orange lukt het nog wel.

Een paar dagen later worden de telefoonblokkeerders weer weggehaald. Mensen die dicht bij de gevangenis wonen, hebben geklaagd dat zij ook niet meer kunnen bellen. Het blijft natuurlijk de vraag waaróm ze die blokkeerders aanbrengen. Zeker, er zijn gevangenen die af en toe iets doen waarmee zij een wet overtreden en dan worden aangehouden. Dat overkomt zelfs ook bewakers.

Het is hier dan ook geen speeltuin. Er zitten zevenduizend man bij elkaar opgesloten, al dan niet crimineel, schuldig of onschuldig. Dan is het logisch dat er wel eens iets gebeurt wat niet mag. Dus kan er ook iemand over een mobiele telefoon beschikken. Mensen mogen ook bezoek ontvangen, dus of er nu wel of niet kan worden getelefoneerd, contact zal er altijd zijn. Bovendien verdienen de Thai er zelf ook geld aan, met name de bewakers die de mobieltjes naar binnen brengen. Waarom hangen ze niet gewoon telefoons in elk gebouw, zodat de gevangenen hun familieleden, geliefden of wie dan ook kunnen spreken? Als de leiding hen wil afluisteren, dan kan dat toch? Een volgende controle is gericht tegen cd- en dvd-spelers. Ze worden allemaal in beslag genomen, ook die van mij. Het enige wat we nu nog op tv kunnen zien, zijn Thaise soapseries en het nieuws. Dat wordt verzorgd door de Thaise Berlusconi, die vijf van de zeven televisiekanalen bezit. Ik hoop dat we de cd- en dvd-spelers terug kunnen kopen. Ik heb de ambassade gevraagd om mijn dvd-speler op te halen, maar zolang er nog niemand langs is geweest, zal hij wel bij de directeur of iemand van zijn familie staan, of bij een bewaker. Maar het laatste wat ik wil is dat een van die bloedbakken van bewakers hem krijgt of verkoopt. Dan geef ik hem nog liever weg aan iemand – of desnoods sla ik hem kapot.

Op een zondag mogen we voorlopig de cel nog niet uit, omdat ze in de doodstraf-afdeling alle cellen aan het doorzoeken zijn. Als we eenmaal naar buiten mogen, moeten we over een halfuurtje onze cel alweer in. Daar gaat je zondag.

In onze cel is bij de controles op het bezit van mobiele telefoons gelukkig niets gevonden. Maar een vriend van mij is overgeplaatst naar gebouw 6, louter omdat ze denken dat hij een mobieltje heeft. Eigenlijk is het belachelijk, want er is niets bij hem gevonden.

Weer passeert een Kerstmis in alle rust. Ik ben blij als december voorbij is.

Met Kerstmis van 2004 heb ik wat speciaals gekookt – als je het tenminste speciaal mag noemen. Normaal eet ik alleen met William en Jo, maar nu zijn we met wat meer. Sommige jongens hebben zelf sterke drank gemaakt, maar dat drink ik al maanden niet meer. Niet dat ik het niet lust of zo, maar ik krijg er volgens mij infecties van, of het valt bij mij gewoon niet goed. Ik ben er ook niet voor in de stemming, trouwens, ik ben nooit zo'n drinker geweest. Maar sommige andere jongens hebben er lol in, en dat vind ik prima.

Iedereen heeft het intussen over de tsunamiramp in het zuiden van Thailand. Het is verschrikkelijk, maar hier kunnen we er weinig mee. Het klinkt misschien raar, maar in Bangkwang gaat het leven gewoon verder. De tsunami heeft wel tot gevolg dat de medewerkers van de ambassade voorlopig geen tijd hebben om bij ons op bezoek te komen.

Ik laat me masseren door een Thai – dat is hier in Bangkwang voor het eerst. In Lardyao heb ik dat veel vaker laten doen. Een matje op de grond, wat badolie en even een klein uur alles laten masseren – het is heerlijk.

Een mens heeft dat gevoel nodig. Gewoon, die handen die je kneden, je aanraken, dat voelt zo goed. Ik heb het niet over seks nu!

Als hij klaar is met de massage, geef ik de Thai wat geld en een sigaret; hij is tevreden en ik ben tevreden. In elk geval ben ik lekker ontspannen. Meestal kan ik dat niet, stilzitten. Dan zeggen ze tegen me: 'Hey, Mike, take it easy!'

Ik denk dat ik gemakkelijk in de omgang ben, maar er zijn hier niet veel mensen met wie je eens gesprekken met wat meer diepgang kunt hebben, meer dan alleen: 'Hallo, goedemorgen, alles goed?'

Het is opmerkelijk dat veel mensen die lang hier in Thaise gevangenschap zitten, de gewoonte aannemen dat ze naar de grond kijken als ze door het gebouw lopen. Dan zie je wel alles, maar voorkom je oogcontact.

Je leeft met een heleboel mensen in een te kleine ruimte, en daarvan zijn er heel wat die niets hebben en natuurlijk altijd wat kunnen gebruiken. Maar je kunt niet iedereen helpen, want dat valt niet vol te houden. Daarom, denk ik, kijken zoveel mensen die hier al langer zitten naar de grond als ze rondlopen. Je voorkomt gewoon dat je de hele dag te horen krijgt: 'Hey! How are you? Where you go? Everything okay? Can you give me...' enzovoort. Daar word je gek van.

Natuurlijk, er zijn mensen die je wel aankijkt, je helpt elkaar als het nodig is, tegen een bekende zeg ik altijd wel 'Goedemorgen, hoe is het?' of 'Goedenavond.' Dat geeft me een beetje het gevoel alsof ik in een normale situatie verkeer. Maar er zijn ook mensen die dat niet nodig vinden; wel, dat is dan hun opvatting. Iedereen komt zijn tijd door op zijn eigen manier, maar het valt me op dat veel gevangenen die hier al ontzettend lang zitten, net planten worden. Ze zijn blij met niets meer dan hun dagelijkse ritme en hun plekje, met het eten dat ze krijgen.

Het wordt allemaal een sleur. Deze mensen raken hun vechtlust kwijt, hun wil eruit te komen. Dat bedoel ik met: ze worden net planten. Er wordt dan ook nagenoeg niets gedaan om de gevangenen geestelijk een beetje gezond te houden.

Het is gewoon een plantenkwekerij, en dan moet je niet raar staan te kijken als iemand die met enig geluk na pak hem beet twintig jaar eens vrij komt, zich helemaal niet meer staande kan houden in de maatschappij. Meestal hebben ze ook geen familie of vrienden meer, en geen geld. In de gevangenis zijn ze echt niet veranderd. Ze hebben helemaal niet de bedoeling hier nog een keer terecht te komen, maar van de zon kun je niet leven.

Hard optreden tegen drugs is prima, daar ben ik het mee eens. En voor de rest van de wereld maakt Thailand misschien een mooie indruk doordat daar zoveel mensen vast-zitten voor drugsdelicten.

Maar wie zit hier nu vast? De Jan Lul die anders misschien vijfduizend baht in de maand kan verdienen, zo'n honderd euro, een bedrag waar je niet van kan rondkomen, en daarom voor een paar honderd euro een vrachtwagen van hier naar daar rijdt. Als zo iemand twintig jaar zit, leert hij dan wat of komt hij er beter uit? Ik weet het niet.

Het gaat dan misschien beter met de economie in Thailand – veel slechter kan het trouwens niet, voor zover ik weet – maar daar wordt alleen een heel kleine groep beter van.

Wel heeft, sinds minister-president Thaksin Shinawatra aan de macht is, de koning voor het eerst een korting op de gevangenisstraf gegeven voor drugszaken. Dan moet je wel al acht jaar geleden definitief veroordeeld zijn. Als je een excellent dossier hebt, kan je straf met een zesde worden verminderd. Dus als je tot veertig jaar bent veroordeeld, houd je nog 33 jaar of zo over.

Hoe meer je in deze plantenkwekerij om je heen kijkt, hoe groter het risico dat je zelf ook een plant wordt. Een zitplant, een praatplant, allemaal planten...

Goed, ik heb ook wel zo'n eigen plekje, maar ik zit daar niet de hele dag op mijn luie reet. Mijn leven hier bestaat niet alleen maar uit: ik slaap, ik poep, ik praat en weer een dag voorbij. Dan word ik gek.

En er wordt hier wat afgeluld. De mensen houden elkaar scherp in de gaten en zien soms het liefst dat je in de put zit. 'Moet je die zien, die redt het niet lang meer! Die gaat doordraaien.' Daarom moet je altijd blijven lachen. Natuurlijk, de mensen met wie je nauw optrekt, de echte vrienden die je hier hebt, die weten wel of het echt goed met je gaat of niet, die zien wel hoe je in je vel zit.

Van tijd tot tijd wordt er een groep jongens overgeplaatst naar andere gevangenissen in het land. Het is altijd vervelend als er dan iemand weggaat met wie je het goed kunt vinden, zeker als dat niet betekent dat hij vrij komt. Zo is een jongen overgeplaatst die mij helpt met thaiboksen.

Helemaal raar is de manier van doen van de nieuwe buildingchief. Hij laat een paar jongens roepen om pakketjes op te halen. Maar er zijn helemaal geen pakketjes; zodra ze buiten zijn, krijgen ze te horen dat ze gewoon worden overgeplaatst. Of ze worden geroepen omdat ze zogenaamd bezoek hebben.

Daar sta je dan, ineens overgeplaatst, en je hebt niets bij je, alleen wat je aan hebt, je shirt, je broekje, je slippers. Meestal gaat er dan een tijd overheen voordat je je spullen mag ophalen – als je geluk hebt.

Dat veroorzaakt allemaal stress en nog eens stress. Het lijkt wel of de zaken nooit eens een paar maanden normaal kunnen verlopen, altijd gebeurt er wel weer wat.

En als er een zenuwachtige toestand ontstaat, verdenkt iedereen iedereen. Er ontstaat jaloezie onder elkaar, zeker onder de Thai, maar ook onder de Chinezen. Onderling worden dan allerlei mededelingen doorgefluisterd: 'Die doet dit, die doet dat.'

Die onrust is wel te verklaren: er zitten duizend man op een kluitje en iedereen is anders. Het is een mengeling van andere denkwijzen, andere problemen, andere normen en waarden, andere cultuur. Maar het is wel goed als het snel wat rustiger wordt. Iedereen moet doen wat hij zelf wil, maar zo werkt het niet.

Gezellig is het in de cel niet. De man die zich als de baas van de cel beschouwt, een Zuid-Afrikaan, is behoorlijk aan het doordraaien. Dat kan nog wel eens tot problemen leiden tussen ons. Ik heb het op een gegeven moment echt gehad met hem.

Het is ook lastig, voor hem en voor mij. Hij is dan wel officieel de 'groepsoudste' in onze cel, maar wij hebben allebei ook wel door dat in feite ik de natuurlijke leider ben in dit gezelschap.

Wij zitten aanvankelijk helemaal niet op dezelfde golflengte. Hij is ziekelijk jaloers en wil de zaken goed onder controle houden. Vroeger heeft hij een cel vol verslaafden onder zich gehad; die kon hij niet zo ringeloren. Ik ben niet jaloers, gelukkig niet. Natuurlijk, ik zou ook wel eens iets willen dat een ander heel goed kan, maar ziekelijk jaloers ben ik niet, al zeg ik het zelf. Die Zuid-Afrikaanse celchef moet alleen wel beseffen dat we in onze cel allemaal respect voor elkaar hebben, dat we rekening met elkaar houden.

Maar we hebben dit conflict gelukkig kunnen uitpraten. Hij is níét mijn vader, dat weet hij nu wel. Als er wat is, kan ik echt wel naar hem luisteren en hem ook wel eens gelijk geven.

Ach, iedereen heeft zo zijn periodes en dan wordt het af en toe even iets ongezelliger, maar het koelt naderhand wel weer af.

Toch, rust heb ik vaak niet in de cel. Terwijl we daar een film zitten te kijken, met luidsprekerdopjes in onze oren, staat op de gang, waar ook mensen slapen, een Thaise film te tetteren. Intussen kijken ze in de cel naast de onze naar een Chinese film. In de cel achter mijn rug zijn moslims aan het bidden. Dat wil de sfeer in de cel nog wel eens moeizaam maken. De kleinste dingen kunnen dan iemand op de zenuwen gaan werken. Ik heb daar zelf ook last van.

Iedereen heeft wel wat, de een dit, de ander dat. Van de een is zijn vrouw bij hem weg, de ander heeft iets belangrijks verloren. Doe wat je wilt, maar privacy heb je niet hier, nooit. Iedereen weet zo'n beetje alles van elkaar.

Als je een keer jezelf wilt bevredigen – dat moet toch wel eens gebeuren – is de enige plek in de cel waar je je kunt terugtrekken, een hoekje waar een zelfgemaakt gordijntje omheen hangt. Dan weten tien van de andere zeventien man in de cel al meteen waarmee je bezig bent. Maar dat is nog het minst belangrijke voor mij, of iemand wil weten wat ik daar aan het doen ben.

Nooit, nooit is er eens stilte, heb je echt privacy, is er niemand die naar je kijkt of luistert. Ach, het went. Maar als ik hier uit ben, is het eerste wat ik wil rust en alleen zijn. Daar verlang ik naar.

Soms, als iedereen slaapt en ik zelf wakker lig, geniet ik daar van. Even is er niemand die naar je kijkt. Je kunt zelf even wegdromen.

Soms worden andere dingen me wel eens te veel. Als je terugkomt nadat je bezoek hebt gehad, kijken de andere gevangenen niet naar jou, maar naar wat je in je tas hebt zitten.

Sla je een tijdschrift open, dan gaan ze meteen achter je staan. Ga toch weg! Als ik het blad uit heb, mogen ze het heus wel zien. En als ikzelf genoeg heb, geef ik toch wel wat weg. Maar als je dan eens wat uitdeelt – ik heb het nu niet over die mensen met wie je elke dag optrekt, maar over die andere negenhonderd en nog wat – staan ze al te grijpen nog voordat je je spullen hebt uitgepakt. En als je dan geïrriteerd raakt, ben je voor hen meteen *kie nok*, vogelschijt. Nou, jammer dan!

Ik weet van mezelf dat ik geen kie nok ben, zo iemand die niets aan anderen kan geven. Maar soms wordt het je gewoon te veel en zeg je iets wat je eigenlijk niet wilt. Je doet het toch nooit goed voor die mensen.

Er komt weer een nieuwe man in onze cel. Hij heet Eli, een Israëliër. Eli heeft levenslang gekregen omdat hij zijn vrouw, een Israëlische, in mootjes heeft gehakt! Waarom, dat weet ik niet; ik vraag er ook niet naar.

Ik heb geen probleem met hem. Het is misschien niet normaal, je vrouw in stukken hakken, maar het is altijd nog minder erg dan een pedofiel. Ik weet voor de rest niets van zijn zaak, het is niet aan mij te oordelen.

Het is net alsof Josef terug is, een vriend die eerder naast mij in de cel heeft geslapen, maar nu naar Israël terug is, dankzij een verdrag. Eli spreekt hetzelfde en heeft dezelfde manier van doen.

Hij is eerst in gebouw 1 geplaatst. Ik kom hem soms tegen bij het ophalen van aangetekende post of pakketten. Dan zeggen we elkaar gedag, want hij is vriendelijk en heeft manieren – dat is soms ver te zoeken hier. Als hij overplaatsing naar gebouw 2 vraagt, word ik erbij geroepen omdat hij mijn naam kent van onze gesprekken bij het postkantoor. En Israël en Nederland, dat is toch op een of andere manier vertrouwd.

Hij heeft last van slapeloosheid. Als ik wakker word en ik kijk naar links, dan zit hij al rechtop op zijn matras. De Zuid-Afrikaan die als onze celchef optreedt, is ook joods. Hij wil eerst niet met Eli praten, omdat die een landgenoot heeft vermoord.

Ik zeg tegen hem: 'Het komt toch ook voor dat Zuid-Afrikanen elkaar vermoorden? Dat kan in elk land gebeuren.' Daarna kunnen ze het in elk geval wel goed met elkaar vinden.

Voordat Josef terug naar Israël gaat, heeft hij nog geregeld dat een rabbijn in Bangkok een brood zal leveren voor mij en Paul, de Fransman die nu op de plek naast mij slaapt. Als het pakket met dat brood binnenkomt, haalt de Zuid-

Afrikaan het op. Bij terugkomst zegt hij tegen mij: 'Chiel, ik kan je het brood nu niet meer geven.'

Ik kijk hem aan en denk dat hij mij loopt te dollen.

'Ja,' zegt hij serieus, 'ik moet het nu aan Eli geven, want die is joods.'

Ik sta versteld, maar antwoord: 'Doe maar wat je wilt.' Ik kan ook Thais brood kopen als ik brood wil, of ik krijg via een vriend wel een ander brood opgestuurd.

'Eerst wilde je helemaal niet met hem praten,' zeg ik nog, 'en nu geef je brood aan hem weg dat helemaal niet eens door jou geregeld is.'

Eli wil het natuurlijk niet hebben, omdat het voor Paul en mij is, en krijgt gewoon ook een deel van het brood.

Paul is twintig jaar ouder dan ik en heeft een Frans paspoort. Zijn zoon, die in Zwitserland woont, heeft tijdens een bezoek van alles voor hem meegenomen, onder meer Slowaakse zuurkool.

Die Slowaakse zuurkool smaakt bijzonder goed – zeker wanneer je al acht jaar geen zuurkool hebt gegeten. We hebben er samen flink om gelachen.

Paul is veroordeeld tot vijftig jaar. Dat betekent dat hij na vier jaar terug naar Frankrijk kan, dankzij het verdrag. De Fransen zijn al begonnen alles in orde te maken voor hem.

Intussen is gebouw 1 helemaal leeggehaald. Alle gevangenen daaruit zijn overgeplaatst naar andere gebouwen.

Gebouw 5 hebben ze verbouwd, maar wat er nu precies verbouwd is, mag Joost weten. Alle mensen met doodstraf zijn daarnaar overgeplaatst. De gevangenen met langdurige celstraffen zijn overgeplaatst naar gebouw 2, 3 of 6.

De twee Chinese Nederlanders die tot de doodstraf zijn veroordeeld, Edy Tang en Li Yang, zitten nu in gebouw 5. Rinus Parlevliet is naar gebouw 6 gegaan. Daar zitten ook

Hans Zegers en de Canadese Nederlander Adriaan Corne-lissen, dus dat is niet slecht voor Rinus.

Naar ons is een man uit Hongkong uit gebouw 1 over-gebracht, de oudste buitenlander in Bangkwang. Hij was 54 jaar toen hij werd vastgezet, en nu is hij al over de tachtig. Ongelooflijk. Hij kijkt nog steeds elk weekeind wie er tegen elkaar voetballen.

Als ik zie hoe lang die man uit Hongkong hier al zit, begrijp ik dat de Thai die acht of negen jaar van mij 'een korte tijd' noemen.

Consternatie in de cel!

Eli heeft geprobeerd zelfmoord te plegen. Ik word half-een 's nachts wakker en zie hem nog naar de televisie zitten kijken. Er wordt 's nachts voetbal uitgezonden.

'Ik loop even naar Eli,' denk ik bij mezelf, 'maak een praatje met hem en als ik niet kan slapen, ga ik ook voetbal kijken.'

Maar ik merk meteen dat hij van me schrikt. Hij legt zijn handen op een stapel pillen en vraagt: 'Moet je een valium hebben?'

'Nee, Eli,' antwoord ik, 'bedankt.'

Dat hij slaapproblemen heeft, weet ik al, dus ik denk er verder niet te veel bij na. Ik ga weer slapen.

Een paar uur later maakt een celgenoot me wakker. Ik moet hem helpen Eli uit de wc te tillen, waar hij uitgeteld ligt. Hij komt weer een beetje bij bewustzijn en omdat hij een natte broek heeft, wassen we hem. Alles lijkt weer een beetje in orde.

Maar halfzeven 's morgens ligt hij weer in coma. We krij-gen hem niet wakker. Pas als we hem een paar keer in zijn gezicht kletsen en wat water over hem heen gooien, komt hij bij, maar daarna valt hij ook snel weer weg.

Zodra de celdeuren opengaan, wordt hij naar buiten getild en naar het ziekenhuis overgebracht. Daar wil hij zich niet laten helpen, heb ik gehoord. Hij is doorgestuurd naar het ziekenhuis van de Lardyaogevangenis.

Een belangrijke oorzaak van zijn problemen is dat zijn kinderen niet meer met hem willen praten.

Problemen hebben we allemaal en dit soort dingen gebeurt hier. Het gebeurt in elke gevangenis, waar dan ook. Maar deze man moet professionele hulp hebben in plaats van in een gevangeniscel te zitten.

Na amper drie maanden wilde hij ook al van gebouw wisselen, terwijl hij eigenlijk net een beetje zijn zaakjes in gebouw 2 had geregeld. Met de cel die we delen, is ook weinig mis. Maar ja, ik kan en wil hem niet dwingen hier te blijven.

Er is aangetekende post voor mij. Een vriend heeft me van alles gestuurd, onder meer Nederlandse kranten. De bewaker die normaal de post behandelt, is er niet, dus een ander doet zijn werk. Maar die bewaker vindt dat de kranten niet door de beugel kunnen.

'Okay,' leg ik me er maar bij neer, 'I cannot have? No problem.'

Als de bewaker dan ook nog vraagt of ik happy ben, reageer ik: 'Ja hoor, ik zit hier al langer dan acht jaar, dus I'm very happy!'

Ik wil me niet laten kennen en niet gaan smeken om die kranten, maar die gemaakte glimlach is me toch even te veel. De bewaker voelt zich, geloof ik, toch wel een beetje lullig met de situatie en geeft me een sportkrant.

'Bedankt,' zeg ik, 'en stop die andere kranten maar in je reet.'

Ik heb geen zin mijn humeur door die kerel te laten verpesten, al gebeurt dat natuurlijk wel een beetje. Er zijn ergere dingen.

Bijvoorbeeld de aankondiging dat we geen radio of cd's meer in de cel mogen hebben. In elk gebouw zijn al handtekeningen verzameld uit protest tegen die belachelijke maatregel. Daar zal wel weer rottigheid van komen. Het regime wordt steeds slechter en strenger. Hebben we het hier misschien te goed? Mensen moeten hier vele tientallen jaren binnenblijven; voor veel lieden die helemaal niets of niemand hebben, is een radio misschien hun enige uitlaatklep. En dan vinden ze muziek ineens wel erg veel van het goede.

Soms haat ik ze, die mensen die dit soort regels voor ons bedisselen. Een beest behandel je nog niet zo. En dan krijgen we alweer een nieuwe baas in ons gebouw. Niemand is daar blij mee. De nieuwe buildingchief heeft hier al eerder gezeten, maar toen als tweede man. Toen heeft hij de reputatie opgebouwd dat hij een bullebak is.

In de loop van de jaren verandert de bemanning van de cel nogal eens. Zo mogen er in één keer negentien Nigerianen terug naar hun land, ook dank zij een verdrag. Er zijn er al veertig uit Lardyao en de vrouwengevangenis op die manier teruggegaan naar Nigeria.

Het betekent dat uit onze cel Koffie weggaat – zo noemen we hem. We kennen elkaar sinds we samen in de Bombatgevangenis hebben gezeten. Ik ben blij voor hem. Op zijn laatste dag kookt hij Nigeriaans voor ons, gerechten uit zijn geboortestreek. Dat is lekker!

En William – een man uit onze cel, niet mijn vriend uit Singapore – mag terug naar Engeland, ook dankzij het verdrag. Dat wil zeggen, als zijn verzoek aan de koning om gratie daar nog een keer arriveert. Anderhalf jaar nadat hij het heeft ingediend, ligt het nog steeds bij de gevangenisdirecteur. Zo'n gratieverzoek moet eerst nog naar een aantal instanties, voordat het uiteindelijk in het paleis bij de koning terechtkomt. Het is dus niet zo gek dat mensen daarop soms vijf tot zeven jaar moeten wachten.

Twee mensen in dit gebouw hebben hun rechtszaak gewonnen en vrijspraak gekregen. Zij zitten allebei al meer dan acht jaar vast, dus dat is misschien ook voor mij goed nieuws. Het is in elk geval voor iedereen hier goed als ze naar huis kunnen gaan.

11. Ter dood veroordeeld

Achter de plek waar wij elke dag zitten, staat een hek dat een afscheiding vormt met de afdeling waar de ter dood veroordeelden verblijven. Die hebben daar ook een plekje waar ze wat frisse lucht kunnen pakken. Op zaterdag en zondag mogen ze daar van negen uur 's morgens tot halftwee 's middags rondlopen, hun kleren wassen, gewoon maar zitten of wat dan ook.

Als ik op onze eigen plek zit, word ik een keer geroepen door jongens uit de doodstrafafdeling, een Thai die ik nog ken uit Lardyao en wat jongens die ik hier heb ontmoet. Ik kom ze af en toe tegen tussen acht en negen uur 's morgens. Op weekdagen mogen ze dan een uur sporten – met een ketting om! Maar alles went.

'Hé Michael!' roepen ze – want zo heet ik hier. 'Kom even wat dichterbij zitten.'

Ik ga bij het hek op mijn hurken zitten. Die ene Thai – hij heet Noe – zegt: 'Maandag houd ik de trapkussens voor je vast bij het trainen voor thaiboksen.'

Nu is hij de laatste maanden niet meer komen opdagen tijdens het sportuur. Ik begrijp dat wel, hij heeft genoeg aan zijn hoofd, maar sport helpt juist goed om even al die stress van je af te schudden en nergens anders aan te denken.

Dus ik zeg: 'Ach, laten we maar voor volgend jaar afspreken.'

Die andere Thai lachen: 'Waarom praat je nu zo tegen je vriend!' Zo zitten we gewoon even wat gein te maken. Intussen zitten ze een andere jongen te tatoeëren.

Mooi dat Noe die maandag tijdens het sporten naar me toe komt om de trapkussens vast te houden. We doen wat stevige rondjes van drie minuten boksen en een minuut rust. Hij is behoorlijk ervaren en kan me helemaal afpeigeren. We hebben veel plezier als hij ons traint.

Als ik daarna wat water over me heen heb gegooid en mijn klapstoel uit heb gezet, zie ik hoe achter het hek Noe bezig is zijn kleren te wassen.

Hij schreeuwt me toe: 'Hé vriend!'

En ik roep terug: 'Hé, jij, mijn vriend!' En we lachen.

In die afdeling met ter dood veroordeelden zitten veel Thai die ik van vroeger ken. Ik merk dat zij mij in het algemeen wel respecteren, ook al ben ik een buitenlander, een farang, en dat doet me goed.

Ik kan met ze omgaan, ik spreek hun taal en ik weet dat ze, ondanks alles, respect en beleefdheid op prijs stellen. Ik beoefen hun sport en eet hun eten. Toch zullen we altijd anders blijven, maar dat maakt niet uit.

Op een zondag mogen we voorlopig de cel nog niet uit, want er is controle in de doodstrafafdeling. Ze zijn daar alle cellen aan het doorzoeken.

Er zijn de laatste dagen steeds controles, met als gevolg dat het weer lekker onrustig is hier. Ik hoop niet dat het nog echt lang duurt; we zitten al lang genoeg in die klotencel elke dag.

Halfdrie 's middags mogen we pas naar buiten. Er zijn drie mobiele telefoons en wat geld gevonden in de cellen van de doodstrafafdeling, dus het is de vraag wat daar nu gebeurt.

In elk geval hebben ze de telefoonblokkeerders, die eerder bij ons buiten aan de slaapgebouwen hebben gehangen, nu binnen in de gang bij de cellen van de ter dood veroordeelden opgehangen. Dat is toch absurd? Daar zitten ongeveer zevenhonderd man, die er juist zoveel behoefte aan hebben met hun geliefde of familie te bellen. Als die dat niet meer kunnen, wat zal ze er nog van weerhouden om die apparaten te saboteren?

Het zitten en wachten in een doodstrafcel is vreselijk. Elke dag weer, van maandag tot en met vrijdag, bestaat de kans dat een gevangene rond drie uur, halfvier in de middag wordt geroepen voor het voltrekken van zijn doodvonnis. Stel je eens voor: week in week uit, maand in maand uit, jaar in jaar uit kan het elke werkdag jouw beurt zijn. Er zitten hier mensen die dit al drie, vier jaar moeten meemaken.

Ook al zijn hier al een paar jaar maar weinig executies uitgevoerd, het kan zomaar weer gebeuren. Je weet nooit wanneer ze je roepen. Lekker humaan! Ja, want ze noemen het humaan dat ze nu een injectienaald gebruiken in plaats van de kogel. Daar is veel geld voor uitgegeven.

Dat moeten wachten op je executie, dat gevoel valt niet op papier te zetten. De ter dood veroordeelden moeten deze geestelijke marteling eindeloos lang ondergaan. Ik ken een jongen uit Israël, die zes jaar in de afdeling met ter dood veroordeelden heeft gezeten. In die tijd heeft hij 24 andere gevangenen zien gaan.

Op een gegeven moment wordt een vriend van hem uit Birma geroepen. 'Chiel,' heeft hij mij verteld, 'ik zei: "veel geluk!" tegen hem.' Ja, wat moet je zeggen...

En wat heeft deze man misdaan? Hij heeft hier misschien de Opiumwet overtreden, iets waarvoor je in Europa nog geen vijf jaar krijgt. Het is tegen de wet, zeker. Maar mensen die misdaden begaan die in mijn ogen veel erger zijn, komen er veel beter van af.

Sommigen hebben geluk, als bij een koninklijke amnestie hun doodstraf wordt omgezet in levenslang. Natuurlijk is een gevangene blij als hij uiteindelijk niet wordt geëxecuteerd en levenslang krijgt, maar komt hij dan nog ooit uit de gevangenis? Als het een Thai is of iemand uit een land dat geen hulp verleent of geen verdrag met Thailand heeft gesloten over het uitwisselen van gevangenen, nooit.

Ik leef heel erg mee met Edy Tang en Li Yang, twee Nederlandse Chinezen uit Rotterdam. Zij hebben cassatie aangevraagd van hun doodvonnis.

De nieuwe ambassadeur, Pieter Marres, heeft bij zijn bezoek hier om zich voor te stellen, verteld dat hun zaak op dat moment bij de rechters in behandeling is. Dat betekent dat zij er dan in elk geval zeker van zijn dat zij binnen afzienbare tijd naar de rechtbank moeten voor een uitslag.

Tang en Yang zijn in 2001, net als ik, in eerste instantie door de rechtbank vrijgesproken. Maar in hoger beroep hebben zij in 2003 de doodstraf gekregen. We zien elkaar af en toe. Ik ken ze al van ons gezamenlijke verblijf in de Lardyaogevangenis. Ik kan het goed met ze vinden. Ze zijn aardig, en ondanks alles proberen ze door te gaan met hun leven. Ik respecteer dat.

Ik zit al die tijd voor hen natuurlijk te duimen dat ze worden vrijgesproken. En als ze in cassatie geen vrijspraak krijgen, dan hoop ik in elk geval dat ze van de doodstrafafdeling af mogen. Tijdens het staatsbezoek van koningin Beatrix, in januari 2004, is niet voor niets aan de Nederlandse regering beloofd dat hun doodstraf in levenslang zal worden omgezet. Het lijkt mij prima als ze dan bij ons in gebouw 2 komen.

Ik weet, denk ik, hoe zij zich voelen als ze in januari 2006 naar de rechtbank worden gebracht voor de uitspraak. Ik weet hoe zenuwachtig ze zijn. En dan blijkt alle hoop vergeefs. Het is een klap voor hen, maar ook voor mij. Ook in cassatie blijft het vonnis: de doodstraf.

Het is een belediging van de Nederlandse regering en van de koningin, dat de belofte die is gedaan tijdens het staatsbezoek niet wordt ingelost. Alle hoop hebben Tang en Yang nu gevestigd op het gratieverzoek, dat zij twee maanden later hebben ingediend.

Koningin Beatrix, heb ik gehoord, heeft tijdens het staatsbezoek al aan koning Bhumibol duidelijk gemaakt dat zij tegen de doodstraf is. Dus wie weet helpt het bezoek van kroonprins Willem-Alexander tijdens het zestigjarig regeringsjubileum van de koning, op 9 juni 2006, ook nog. De koning keurt al een aantal jaren het voltrekken van doodvonnissen op buitenlanders niet meer goed, dus voor een executie hoeven Tang en Yang niet zo gauw te vrezen. Maar de angst en onzekerheid over hun toekomst, die blijven. Of het koninklijk bezoek nu geholpen heeft of niet, begin augustus geeft koning Bhumibol Tang en Yang toch nog de gratie waar ze zo op hoopten. Die ochtend ben ik net op weg naar het postkantoor, als ik ze zie lopen in een gang in de doodstrafafdeling, die met hekken van ons is afgescheiden.

'Machiel,' roepen ze, 'we hebben bezoek van de ambassade.'

'Ik niet,' antwoord ik.

Als ik weg wil gaan bij het postkantoor, zie ik ze de bezoekruimte alweer uitkomen. Dat is snel, denk ik.

Opgetogen roepen ze: 'Onze doodstraf is bij gratie van de koning omgezet in levenslang!'

Dat is dus heel mooi nieuws. Nu hebben ze een heel ander vooruitzicht. Met levenslang als straf kunnen zij in augustus 2008, als zij hier acht jaar achter de rug hebben, ook gebruikmaken van het verdrag om naar Nederland te gaan. En nu maar kijken of zij bij mij in gebouw 2 worden geplaatst. Het gebeurt niet; zij gaan naar gebouw 5. Een maand later ziet het er ineens een stuk minder rooskleurig voor ze uit; althans voor Li Yang. Er is ontdekt – dat is voor mij trouwens ook een schok – dat hij niet echt de Nederlandse nationaliteit heeft. Hij schijnt zijn paspoort jaren geleden gekocht te hebben. Daar komen ze nu pas achter! Yang baalt natuurlijk als een stekker. Ik begrijp dat wel, want nu krijgt hij geen steun meer van Nederland. En als hij geen Nederlander is, betekent dat ook dat hij geen beroep kan doen op het verdrag.

Tang en Yang zijn meteen uit elkaar gehaald, maar nog steeds zitten ze niet bij mij. Tang is naar gebouw 3 overgebracht, Yang naar gebouw 6.

Daar moet hij in zijn eentje nog tien, vijftien jaar of wie weet hoeveel langer blijven. Dat is een verschrikkelijk vooruitzicht, maar zo is je lot als je niet uit een land komt dat een verdrag met Thailand heeft gesloten of een ambassade heeft die voor je opkomt.

Ik heb ontzettend met Li Yang te doen, ik weet wat er door deze man heengaat – eigen schuld of niet. Hij is dan misschien niet officieel een Nederlander, maar dat betekent nog niet dat ze hem dan maar vijftien of twintig jaar langer moeten vasthouden voor een beweerde drugszaak – en ik heb het dan niet over honderden kilo's. Ik ben het daar niet mee eens, en zal het er ook nooit mee eens zijn.

12. Mijn vriend Wortel

Om te overleven, om in elk geval nog een beetje een menselijk bestaan te hebben hier in de gevangenis, is het van groot belang een goede verstandhouding te hebben met je medegevangenen. Je moet het immers ik weet niet hoeveel jaar met ze zien uit te houden. Als je nieuw binnenkomt, is het zaak eerst goed te kijken hoe alles werkt. Gelukkig hoef je niet elke dag te knokken voor zulke primaire zaken als een slaapplaats. Maar je merkt al snel dat je wel geld nodig hebt. Van belang is ook dat je niet over je heen laat lopen. Dat wordt altijd uitgeprobeerd in de gevangenis. Er zijn continu mensen die je uitdagen, elke dag weer. Maar dat er mensen zijn die je uit willen testen, ook als je zelf normaal doet, dat heb je overal.

Daarnaast is het altijd goed als je voor jezelf op kunt komen. Dat geeft je een bepaalde uitstraling, die goed van pas kan komen. Er is altijd wel iemand beter, sterker of slimmer. Maar of je groot of sterk bent, zegt zo weinig als iemand je echt iets wil aandoen.

Ik denk dat het in de Thaise gevangenis uiteindelijk net zo is als overal, op je werk, op school of waar dan ook. Je komt elke keer weer ergens in een nieuwe situatie, een nieuwe omgeving. Iedereen leert op zijn eigen manier daarmee om te gaan.

Ik heb gemerkt dat ik wel goed met de Thai kan opschieten, zowel in Bombat en Lardyao als in Bangkwang. Net als iedereen hebben zij zo hun gewoontes. Ze houden er over het algemeen niet van te schreeuwen en hun zelfbeheersing te verliezen. Hun instelling is: je komt al een heel eind als je lacht als een boer met kiespijn. Hun stopwoord is: *Chai yen yen*, dat betekent: blijf rustig! Al hoef je natuurlijk niet altijd rustig te blijven.

Ik ontvang respect van de Thai, maar dat krijg je ook door ze respect te geven. Nu krijg ik met name respect door met ze te trainen met thaiboksen, hun favoriete sport. Maar dat doe ik niet om er respect mee te verdienen, maar omdat ik er plezier aan beleef. En bovendien, sport is altijd goed, of je nu vastzit in de gevangenis of niet.

Natuurlijk zijn er ook Thai die ons haten, maar dat komt meer omdat we westerlingen zijn, farang. Dat verschil wordt vooral duidelijk doordat wij sneller vrij komen vanwege verdragen die zoveel westerse landen met Thailand hebben gesloten. Maar ja, daar moeten de Thai dan zelf wat aan doen.

Wel word ik af en toe gek van de bemoeizucht van de anderen. Als ik gewoon in de richting van de poort loop, zijn er al vijf Thai die vragen: 'Waar ga je naartoe?' Nou ja, veel opties zijn er niet.

Als je naam wordt omgeroepen, omdat er aangetekende post voor je is of bezoek, klinkt dat door het hele gebouw. Dus iedereen hoort het als je advocaat op bezoek komt, of iemand van de ambassade.

Ik heb gewoon geen zin dertig keer per dag te moeten zeggen waar ik heen ga, ook als ik niet omgeroepen ben maar gewoon wat rondwandel.

We zitten in Bangkwang met een kleine duizend in één gebouw. Iedereen weet dan op een gegeven moment wel van ieders vaste gewoontes.

Als ik bijvoorbeeld eens twee dagen niet sport – wat weinig voorkomt – dan wordt daar meteen op gelet. 'Zwakt-ie af?' zie je mensen denken.

En je weet niet of dat bezorgdheid is, of dat ze gewoon hopen dat het niet goed met je gaat. Dat vinden ze dan leuker dan dat ze merken dat je ergens plezier in hebt. Daar word ik ook wel eens moe van. Ik gun het die mensen niet dat het slecht met mij gaat. En het zal mij een zorg zijn of iemand anders wel of niet goed in zijn vel zit. Dat wil zeggen, als het om mensen gaat met wie ik verder niets heb. Maar het is hier van groot belang wel een paar goede vrienden te hebben. Als je een vriend hebt met wie je je zorgen kunt delen, die je kunt vertrouwen, scheelt dat een stuk.

In Bangkwang trek ik elke dag op met William en Jo. We hebben ons eigen plekje en eten elke dag samen. Eerst eten William en ik samen met een Birmees, die voor ons kookt. Maar nadat die is overgeplaatst naar een andere gevangenis, zitten we een tijd met zijn tweeën en ben ik degene die kookt.

Jo, een kleine Thaise man, wordt wat later bij ons in de cel geplaatst. Hij komt ook uit Lardyao. Jo kent Samarn, de neef van mijn ex-vriendin Linda, die tegelijk met mij is gearresteerd. Als hij binnenkomt, heeft hij een briefje van hem bij zich voor mij.

Als ik Jo zo een tijdje heb meegemaakt, stel ik hem voor met ons samen te eten. Hij beschikt zelf vrijwel niet over geld of spullen. Ik vraag hem of hij kan koken. 'Ja,' antwoordt hij, 'behoorlijk goed.' Vanaf dat moment kookt hij voor ons. Wij zijn blij met hem, en hij is het met ons. Wij kopen het eten voor ons drieën, en hij kookt het voor ons.

Jo zit al acht jaar vast; hij heeft net pas zijn eerste rechtszaak achter de rug en bereidt een hoger beroep voor. Hij heeft levenslang gekregen. Een man die samen met hem is gearresteerd, is al dood.

Acht jaar moeten wachten voordat je voor het eerst voor een rechtbank verschijnt – en waar gaat het om? Niet om een megapartij drugs of zo, maar om achtduizend pillen, xtc of zoiets. Levenslang voor achtduizend van die dingen? Na acht jaar wachten? Hijzelf zegt dat hij er niets mee van doen heeft. Maar zelfs al is dat wel het geval, dit is toch niet normaal? Op een gegeven moment wordt beslist dat Jo overgeplaatst moet worden. Gelukkig heeft de buildingchief geregeld dat hij toch bij ons in de cel kan blijven. Dat betekent wel dat die buildingchief een envelop met geld krijgt.

Mijn allerbeste vriend in de gevangenis is Wortel. Zo heet hij natuurlijk niet, hij heet William, maar ik noem hem zo, vanwege zijn vuurrode haar.

Wortel is een Chinees uit Singapore. We kennen elkaar al uit de Bombatgevangenis; daar raken we meteen al goed bevriend. Hij is één maand eerder dan ik gearresteerd. In Bombat zijn wij 'de bordenwassers'. We vormen daar een clubje met zo'n vier of vijf man, met wie we samen eten. De taakverdeling is: zij koken, wij wassen af.

We gaan vervolgens samen naar de Lardyaogevangenis. Wortel krijgt al na één jaar levenslang en wordt naar de Bangkwanggevangenis overgeplaatst, terwijl ik nog in Lardyao blijf, in afwachting van mijn rechtszaak.

In de tussentijd houden we echter regelmatig contact. Als ik bij mijn eerste rechtszaak wordt vrijgesproken, schrijf ik Wortel meteen een brief. Hij is er dan van overtuigd dat ik naar huis ga en dat hij mij niet meer in de gevangenis zal zien. Het is dan ook een grote verrassing voor hem, als ik in Bangkwang in gebouw 2 binnenkom. Ik zie direct een Chinees op me afkomen met felrood geverfd haar. Het eerste wat we allebei zeggen, is een Chinees stopwoordje dat hij me heeft geleerd en dat ik nooit meer vergeet: 'Kanina!' Dat is echt een bijzondere begroeting van iemand die je graag mag. We moeten allebei meteen lachen.

Maar ik zie ook goed dat hij inwendig baalt dat zijn vriend, die kaaskop of *kwailoo* (witte geest, zo noemen ze ons blanke westerlingen) nu toch ook hier zit. 'Ik had liever dat ik je hier helemaal niet zag,' zegt hij. Maar nu ik ook in Bangkwang ben, eten we weer met elkaar en doen we van alles en nog wat samen. Ik ben zelfs al getrouwd met zijn zus (tenminste, daar pest ik hem mee). Ik weet eigenlijk nog steeds niet echt of hij daar blij mee zou zijn. Natuurlijk, ik ben zijn vriend, maar je zus is je zus. Ach, het is allemaal gewoon onzin, het komt er toch niet van.

Natuurlijk hebben we ook allebei zo onze eigen dingen. Wat wij bijvoorbeeld niet samen doen, is sporten. Wortel houdt niet van sport. Maar ik sport ook weer niet 24 uur per dag.

Ik probeer een beetje Chinees te leren. Als ik van andere Chinezen wil weten waar Wortel is, vraag ik ze in hun taal: 'Waar is mijn broer?'

William is zo'n jongen die op zijn eigen manier de tijd doorkomt. Hoe hij dat doet, vooral de lol die hij maakt, wordt hem niet altijd in dank afgenomen, zeker niet door sommige Chinezen. Maar wat andere mensen van hem vinden, daar heb ik geen boodschap aan; hij is mijn vriend. Al kan ik met andere Chinezen ook opschieten, Wortel is Wortel en dat blijft zo.

Bij een koninklijke amnestie is zijn straf van levenslang naar veertig jaar gegaan, maar dan heeft hij altijd nog een heel lange tijd voor de boeg. Singapore kent geen verdrag waardoor gevangenen na vier of acht jaar naar huis mogen, dus wanneer hij hier uit komt, is nog de vraag.

Wortel heeft een oom die hier achttien jaar vast heeft gezeten; hij heeft oorspronkelijk levenslang gekregen, maar dat is omgezet in vijftig jaar. Dan is hij 53 jaar, een sterke, fitte man die altijd sport. Maar plotseling is hij overleden. Dat is nummer zoveel die in de cel is doodgegaan.

Van zijn land heeft hij nooit steun gekregen. Maar Europeanen en Amerikanen die in diezelfde tijd als hij zijn gearresteerd en dezelfde straf hebben gekregen, zijn al minstens tien jaar thuis.

Gelijke rechten bestaan hier niet, het hangt allemaal af van je paspoort of nationaliteit.

Wortel merkt het heel goed, beter dan wie ook, als ik ergens mee zit. Dan laat hij me zoveel mogelijk met rust, want hij weet dat ik dat het liefste heb. Als hij me ergens mee moet helpen, dan vraag ik het wel.

Wanneer ik een keer ziek ben en iets nodig heb, hoef ik maar te kikken en hij verzorgt het. Hij heeft een goed hart. En als ik met iemand wil praten over wat me dwars zit, over de problemen die ik heb, dan is dat alleen met Wortel. Met hem overleg ik bijvoorbeeld het snijdende dilemma waar ik het laatste jaar voor sta: moet ik mijn cassatieverzoek intrekken of niet, nu ik er acht jaar in Thaise gevangenschap op heb zitten en een beroep kan doen op het verdrag waardoor ik naar Nederland kan? Ik kan alleen een beroep doen op het verdrag, als ik mijn cassatie intrek. Wat is het beste?

Hij weet dat ik het moeilijk heb met dat soort afwegingen en dat ik daar met hem over kan praten.

Alleen is William wel begin 2006 overgeplaatst van gebouw 2 naar gebouw 6. Ik zit er nu ook over te denken overplaatsing naar gebouw 6 aan te vragen, ook al is het misschien maar voor een paar maanden. Het is toch weer een andere sfeer, met andere mensen, en ik ben weer samen met mijn vriend Wortel.

13. In het ziekenhuis

De cel naast ons wordt in orde gemaakt voor mensen die zijn hersteld van tuberculose en uit het ziekenhuis komen. Tbc is een ziekte die tamelijk veel voorkomt in de gevangenis, je zit er immers hutjemutje op elkaar. Aziaten en Afrikanen worden er het meeste door getroffen. Je kunt niet aan iemand zien of die tbc heeft. Zo is er een man uit Mali, een sterke beer, hij traint elke dag met gewichten, die nu in het ziekenhuis ligt en wordt behandeld voor tbc.

Ik ben nogal benauwd voor tbc, en heb daarom de ambassade dringend laten weten dat ik eens een keer goed doorgelicht wil worden buiten de gevangenis, in het politieziekenhuis, want hier is het allemaal niet veel bijzonders.

In het gevangenisziekenhuis is de controle op tbc een lachertje. Het röntgenapparaat waarmee ze dat doen, is vijftig jaar oud en er is geen dokter die weet wat hij moet doen.

Bij een onderzoek daar geef ik eerst wat spuug af. Maar de volgende dag moet ik dat nog ecns doen, en dan nog een keer. Dat gaat naar een laboratorium, en dan is het wachten op de uitslag. Die is goed, zeggen ze dan, evenals de uitkomst van een bloedtest. Dat wil zeggen, eerst begrijp ik dat nog niet.

De dokter die de bloedtest af heeft genomen, begint heel snel in het Thais tegen mij te praten. Hij zegt zoiets als: 'Deze test is RSN', dat versta ik althans.

Ik vraag dus: 'Waar staat dat RSN voor?'

Waarop hij, ineens in vloeiend Engels, reageert: 'Ben je bang?'

'Hoezo?' antwoord ik. 'Ik vraag alleen wat RSN betekent, of het ook iets zegt over aids. Natuurlijk, als je een bloedtest ondergaat, ben je in je hart ook bang voor wat voor erge ziekte dan ook. Zodoende wil ik graag weten waar RSN voor staat.'

Nou, onthult de dokter, het betekent 'zieke kwal'.

Dan komt de man die de röntgenfoto heeft genomen, met het resultaat naar buiten lopen en deelt mee: 'Oké.'

Ik zeg: 'Alles is oké?'

Waarop hij zegt: 'Wat vind je er zelf van?'

Ik: 'Ik ben geen dokter.'

Hij: 'Ik ook niet.'

Wie weet er dan wel wat hier?

Als dan eindelijk een echte dokter mijn röntgenfoto bekijkt, denkt hij dat er misschien iets zit in mijn rechterlong, dus hij stuurt de foto door naar een specialist.

Kortom, een goede check-up door een dokter van buiten de gevangenis is echt hard nodig, maar het komt er maar niet van.

Rinus Parlevliet, een andere Nederlandse gevangene, is in een ziekenhuis buiten de gevangenis gecontroleerd. Bij hem wordt de diagnose gesteld: kanker. Hij moet worden geopereerd. Deze operatie schijnt 200.000 baht te kosten, zo'n vierduizend euro, maar de ambassade zou dat niet vergoeden. Ik vind dat het wel voor hem betaald moet worden; hij kan het later terugbetalen.

Er wordt zoveel geld aan dit land gegeven, maar voor een gevangene wordt dit soort dingen niet gedaan. Dus als je niet kunt rekenen op geld van buiten en je kunt zelf je operatie niet betalen, dan heb je mooi pech gehad.

Er zit hier een Fransman al meer dan elf jaar vast, Eddy Tottin. Hij heeft nooit een beroep gedaan op een verdrag om langs die weg terug naar zijn land te gaan, omdat er in Frankrijk ook nog een zaak tegen hem loopt, maar die schijnt binnenkort verjaard te zijn.

Deze Fransman loopt al jaren te klagen over een bult op zijn lichaam. Uiteindelijk hebben ze hem drie maanden lang in het gevangenisziekenhuis behandeld voor tbc. Maar hij vraagt steeds om een keer beter onderzocht te worden. Eindelijk gebeurt dat, en dan blijkt in zijn hele lichaam de kanker al uitgezaaid te zijn! De dokter van het ziekenhuis in Bangkok waar ze hem tenslotte naar toe laten gaan, stelt als diagnose dat hij er eigenlijk al niet meer had mogen zijn en dat het ongelooflijk is dat hij nog leeft.

Bij een volgende amnestie van de koning krijgen ook alle mensen gratie die ongeneeslijk ziek zijn. Het staat zwart op wit: ze moeten hem binnen zestig dagen na het bekendmaken van de amnestie vrijlaten. Deze man is dan 54 jaar. Hij heeft het tot nu toe volgehouden, denk ik, omdat hij altijd aan sport heeft gedaan. Maar wat heeft hij over? Het is heel goed mogelijk dat hij die amnestie niet haalt en voor die tijd wegteert hier. Als ze hem drie jaar geleden gewoon goed hadden onderzocht en hem vervolgens hadden behandeld, in plaats van hem een kuur van drie maanden te geven voor tbc, dan was hij er nu heel anders aan toe geweest.

Ik droom een keer net even lekker weg met allerlei prettige gedachten op mijn matras in de cel, als ik aan de overkant die Fransman zie zitten, met al zijn pijn. Weg leuke gedachten. Ik besef eens te meer dat het leven maar kort is, en dat je nooit weet wanneer of wat er met je gebeurt. Daarom moet ik maar blij zijn dat ik me goed voel.

En ik hoop dat die Fransman eerdaags echt weg mag en dat hem dan buiten de gevangenis nog wat tijd is gegund.

Vergeefse hoop. Hij krijgt te horen dat ze hem misschien toch niet laten gaan, ook al heeft hij niet lang meer te leven en moet hij vanwege de amnestie van de koning wel worden vrijgelaten.

In een week tijd gaat hij zo erg achteruit, dat hij naar het gevangenisziekenhuis van Bangkwang wordt overgebracht. De buildingchief zegt dat hij over een week weet of de Fransman nu wel of niet weg mag. Dan zijn de zestig dagen na het verlenen van de amnestie om. Ik vraag me af of hij dat nog haalt.

Als ik een keer in het gevangenisziekenhuis moet zijn, ga ik even naar zijn bed op de slaapzaal voor de patiënten. Ik heb hem maar niet wakker gemaakt. Hij ziet er vreselijk uit, vel over been, en hij was echt een sterke kerel.

Het verbaast me dan ook niet dat we een paar weken later het bericht krijgen dat Eddy Tottin is overleden in het Bangkwangziekenhuis. Het is erg triest, hij is de zoveelste al.

Ja, de gezondheidsvoorzieningen zijn hier vreselijk. In de Lardyaogevangenis ben ik één keer geopereerd in het gevangenisziekenhuis. Had ik maar van tevoren geweten hoe het daar toeging, dan had ik ze nooit in mijn lichaam laten snijden.

De hoofdarts is een soort Frankenstein. De dokters hebben geen tijd voor je; het enige wat je van ze krijgen kan, is een paracetamol. De bijnaam van het hospitaal is veelzeggend: het Slachthuis.

De zusters die normaal de patiënten moeten behandelen, helpen je in de praktijk ook niet. Dat werk laten ze ambulante patiënten voor hen doen, gevangenen die in het ziekenhuis hun straf uitzitten. En dan maar hopen dat de injectienaald niet met hiv is geïnfecteerd.

De dag na mijn operatie word ik alweer terug naar mijn cel gestuurd. Ik moet vragen om een bak waar ik water in kan doen en om kristallen om het water te desinfecteren. Die krijg ik zowaar.

Die avond, in de cel, beginnen de wonden weer te bloeden. Alles wat ik aan verband en pleisters heb, doe ik er een voor een op, maar als die allemaal op zijn, blijkt het nog niet te helpen.

Ik heb nog nooit meegemaakt dat een cel 's avonds is opengemaakt. Maar in Lardyao slapen wel bewakers in het cellengebouw, anders dan in Bangkwang; daar is na halfvier 's middags, als de cellen dicht gaan, niemand meer van de bewakers.

In twee maanden tijd heb ik in Bangkwang meegemaakt dat drie mensen ernstig ziek zijn geworden terwijl zij opgesloten zitten in hun cel. Als je rond zes uur 's avonds een hartaanval krijgt of zuurstofgebrek of wat dan ook, dan moet je het tot de volgende ochtend zien vol te houden, want de deuren gaan gewoon niet meer open.

De autoriteiten zeggen dat zij miljoenen uitgeven voor de gezondheidszorg, maar wij, de gevangenen, merken daar niets van.

Een simpele zuurstoffles in elk gebouw zou al zeker twee levens hebben gered. Of laten ze in elk geval gewoon de cel opendoen als iedereen schreeuwt dat er een ernstig zieke is, en die patiënt naar het hospitaal brengen. Maar nee, hoor. Wel krijgt de buildingchief een nieuwe kamer. En buiten, waar de bezoekers komen, zijn allemaal mooie paadjes met bloemen aangelegd.

Maar goed, daar in Lardyao komt wel een bewaker bij ons in de cel kijken, maar hij loopt weer weg. Een uur later maken ze toch de deur open en word ik teruggebracht naar het ziekenhuis. Ik ga meteen aan een infuus.

Ik moet daar nog een week liggen – het is de week van het Thaise nieuwjaar, van 13 tot en met 15 april, en het is bloed- en bloedheet.

Tijdens die feestdagen is het ziekenhuis uitgestorven, niemand werkt. Niet dat dat veel verschil maakt; de dokters en zusters doen anders ook niets.

Zo heb ik drie dagen met een dode op de kamer geslapen. Het is een transseksueel met aids die ook op mijn kamer ligt; hij ziet er niet uit. Elke nacht gaat hij zijn bed uit (want je hebt daar een bed!) om op de grond te gaan liggen. Een keer word ik midden in de nacht wakker; ik wil naar de wc. Daar zie ik die omgebouwde man op de grond liggen, in zijn eigen stront, om het maar plat uit te drukken. Ik denk direct dat hij dood is. Ik waarschuw een van die ambulante patiënten die het werk van de zusters doen: 'Hé, die ladyboy is dood.'

Hij gaat kijken, zwaar uit zijn humeur. Maar dan komt hij lachend terug, dus ik vraag hem wat er te lachen valt.

Hij antwoordt: 'Hij leeft nog. Als hij de volgende ochtend haalt, heb ik geld verdiend. Ik heb gewed dat hij nog een nacht in leven blijft.'

Ik bedoel: wij liggen daar ziek, maar die zogenaamde verplegers, die zijn pas écht ziek.

Tijdens het nieuwjaarsfeest gaat de transseksueel echt dood. Ze laten hem al die dagen op mijn kamer liggen, in de hitte, belaagd door allerlei ongedierte.

Hoeveel ik er precies in de gevangenis heb zien gaan, weet ik niet meer. Soms lijkt het wel hoogseizoen. Ik heb er geen dagboek op bijgehouden, zeker niet om de sterfgevallen te turven. In Bangkwang is in de tijd dat ik er zit één man door geweld omgekomen, die opperblueshirt die is vermoord. Alle anderen zijn na een ziekte overleden.

In Lardyao, waar ik de eerste zesenhalf jaar heb doorgebracht, gaan elke dag wel één of twee gevangenen dood in het ziekenhuis. Dat zijn vierhonderd tot vijfhonderd man in een jaar. Op een gevangenisbevolking van zevenduizend is dat niet echt weinig. Voor mensen die hier aan hun einde komen, is het heel erg triest. Ze worden als vuil ergens gedumpt. Ik wil er liever niet over nadenken wat er dan nog allemaal met je kan gebeuren.

Wie ziek is, kan één keer per week naar een dokter in het gevangenisziekenhuis. Het enige dat ze je daar geven, is paracetamol. Als je andere medicijnen nodig hebt, krijg je een recept dat je naar de ambassade kan sturen. Het ambassadepersoneel moet de medicijnen kopen en bij de gevangenis laten bezorgen. En hier moeten ze die eerst nog controleren. Dus voordat je je hoognodige medicijnen hebt, ben je twee of drie weken verder.

Je bent dus wel gedwongen een andere manier te gebruiken. Als je er geld voor hebt, geef je het recept aan een bezoeker, laat die de medicijnen halen en betaal je extra aan de bewakers. Dan heb je ze binnen twee dagen.

Ik heb het ook zelf aan de hand als ik weer eens een ontsteking heb. Ik denk dat die is veroorzaakt door alle stress. In elk geval hoop ik dat het binnenkort over is.

Ik word gek van al die lui om me heen die maar vragen: 'Michael, wat is er met jou?' – niet één keer, wel honderd keer. Als het nou echt bezorgdheid is, maakt het niet uit, maar ik weet hoe het hier werkt.

Zodra ze zien dat je je niet goed voelt of niet lekker in je vel zit, dan heb je die aasgieren – zo noem ik ze – die de hele dag niets te doen hebben, behalve dan slap ouwehoeren. Die storten zich op je, en de zieke heeft het maar leuk te vinden. Daar zit ik niet op te wachten.

Als ik ziek ben, moet ik zelf beter worden. Als gevolg van al dat gezeik om me heen spring ik op een gegeven moment uit mijn vel: 'Ben je blind of zo!' Maar dat wil ik niet, want dan hebben ze nog hun zin ook.

Als ik hulp nodig heb, als ik zelf iets niet kan doen omdat ik ziek ben of me niet lekker voel, dan vraag ik het mijn vrienden wel, de jongens met wie ik goed kan optrekken.

Sinds ik me heb kunnen volstoppen met antibiotica gaat het iets beter met de infectie. Ik hoop er met een dag of twee vanaf te zijn, zodat ik dan langzaamaan weer wat kan gaan doen. Ik ben wel half stoned van de antibiotica, geloof ik. Ik rust de hele dag en misschien heb ik dat ook wel nodig.

Hetzelfde gedoe heb je als je naar de tandarts wilt. Die zit in het gebouw waar de gevangeniskeuken is gevestigd. Ik heb een keer drie gaatjes, en de buildingchief brengt me naar hem toe.

Dat is ook weer zoiets. Als je via de normale weg een tandarts wilt bezoeken, ben je twee tot drie maanden kwijt voordat je misschien wordt geholpen. En niet iedereen kan naar de tandarts; daarvoor moet je wel geld hebben. Alleen trekken doet de tandarts voor niets.

Maar mijn gaatjes zijn nu gevuld. Er moet nog wel wat meer met mijn gebit gebeuren, maar hier ben ik al blij mee.

Eindelijk, het is dan al voorjaar 2005, kan ik naar het politieziekenhuis in de stad voor een check-up. Ik wil net 's morgens gaan trainen, als ik word geroepen en te horen krijg dat ik daarheen wordt gebracht.

Nadat ik me snel heb gewassen en geschoren, word ik het gebouw uit geleid, met kettingen om mijn benen. Daar moet ik een uur wachten totdat ik word opgehaald.

Dan rijden we met een heel gezelschap – twee bewakers, een dokter van Bangkwang, een chauffeur en ikzelf met handboeien om – naar het ziekenhuis. De rit naar het hartje van Bangkok duurt een klein uur.

In het ziekenhuis moeten we eerst van het ene loket naar het andere. Het is er hartstikke druk en ik heb meer dan genoeg om naar te kijken; andersom is dat ook het geval. Het is eigenlijk ook een soort privé-ziekenhuis. Ik ben daar de enige buitenlander, en dan ook nog met kettingen om de benen, dus het is te begrijpen dat ik opval. Ik krijg in elk geval geen nare blikken.

Maar voor mij is het vooral een dagje uit. Ik kan eindelijk even kijken hoe alles er buiten de gevangenis ook alweer uitziet. Ik zie weer eens mensen in vrijheid!

Al met al zijn we gauw een uur verder voordat ik een dokter zie, maar op deze manier gaat de tijd wel snel.

De röntgenfoto's wijzen gelukkig uit dat ik geen tbc heb. Wel vertelt de dokter dat ze een bult in mijn lies hebben gevonden.

'Een hernia,' zegt de dokter. Ik schrik. Het blijkt een liesbreuk te zijn, maar dat schijnt met een medische term ook hernia te heten. De dokter verwijst me door naar de chirurg: ik moet geopereerd worden. Als het goed is ga ik eind mei naar het ziekenhuis; waarschijnlijk moet ik dan een of twee nachten blijven.

Als ik die middag terugkeer in Bangkwang, ben ik doodop. Ik heb hoofdpijn, ik denk van al het wachten, van het kijken naar alles, van de hitte en daarna de airconditioning in het ziekenhuis. En ik heb nog niets gegeten. Ik ga dus eerst even anderhalf uur slapen.

Op 30 mei word ik 's ochtends geroepen om me gereed te maken voor transport naar het ziekenhuis. Het duurt toch nog een uur voordat we eindelijk wegrijden in een minibus met drie bewakers. Ik heb weer kettingen om mijn benen en handboeien om.

Onderweg naar het ziekenhuis kan ik weer zien hoe het leven buiten de gevangenis is.

In het politiehospitaal gaat het typisch op zijn Thais. We worden van de ene balie naar de andere gestuurd, want niemand weet van waar, hoe en wat. Ik vind dat helemaal niet erg, want ik vind het heerlijk weer midden tussen normale mensen te staan. Ik heb meer dan genoeg te bekijken. Uiteindelijk komen we dan toch bij de juiste balie. Een oudere zuster die daar de leiding heeft, legt uit waar we heen moeten. Het is een buitengewoon vriendelijke vrouw. Ze vraagt of ik na mijn operatie niet in het ziekenhuis kan blijven om Engelse les te geven, in plaats van terug te gaan naar Bangkwang. Natuurlijk zou ik dat wel willen! Zij moet erom lachen.

Ik heb vijf dagen in dit ziekenhuis gelegen. Ik moet zeggen: op de operatie en op de behandeling door het verplegend personeel is totaal niets aan te merken. De mensen zijn allemaal heel vriendelijk en meelevend. Echt fantastisch.

Behalve dan dat ik in een soort gevangeniskamer lig, met Bangkwangkettingen tussen mijn benen, terwijl mijn linkerbeen ook nog aan het bed is vastgeketend. Een echt bed, dat wel.

De operatie duurt langer dan ze hadden gedacht, vertellen ze onder het opereren door; al met al anderhalf uur.

Na de operatie word ik teruggebracht naar de slaapzaal. Ik ben nog maar net op mijn bed gelegd, of daar staan Jules van der Rest en Wilma Block, twee medewerkers van de ambassade.

Ik vertel ze: 'Ik ben net geopereerd.'

'Dat is goed,' antwoorden zij, 'dan komen we morgen wel terug.'

De volgende dag zijn Jules van der Rest en Wilma Block er weer. Het gesprek heeft niet echt veel om het lijf. 'Hoe gaat het? Alles in orde?' Dat soort dingen.

Ik weet wel, zonder bemiddeling van de ambassade had

ik niet naar dit ziekenhuis gekund, en ik hoef natuurlijk ook niet per se iets te eten of te drinken van ze te krijgen, maar als je bij iemand in het ziekenhuis op bezoek gaat, neem je toch wat mee? Zij hadden een krant bij zich en een Elsevier.

Een vrijwilligster die de Nederlandse gevangenen allemaal bezoekt, komt vrijwel elke dag mij bij langs en neemt dan fruit of iets anders te eten mee; dat is ontzettend lief. Terwijl die vrijwilligster er is, wil Wilma Block nog even privé met mij praten. De vrijwilligster stapt op; ze wil toch al de volgende dag weer komen.

Vanzelfsprekend denk ik: 'Misschien is er nieuws over mijn zaak?' Nou nee, Wilma deelt mij mee dat zij Bangkok gaat verlaten voor een nieuwe post in Bolivia. Ik wens haar geluk, en zij mij.

De verpleegsters in het ziekenhuis merken aan me dat ik heimwee heb. Ze beloven: 'Als de dokter het goed vindt, kun je terug.'

Het is misschien nog niet verantwoord al weg te gaan, en voor mij is dit verblijf hier zonder meer een uitje, maar na drie dagen verlang ik toch weer naar mijn vrienden, naar het dagelijkse leven in Bangkwang, hoe gek dat misschien ook klinkt.

Natuurlijk, de zusters zijn uiterst aardig, de verzorging is prima, maar ik kan niet stilzitten en alleen maar boeken lezen. Ik mag niet lopen en moet op mijn rug liggen, zelfs poepen moet ik op bed met een draagbare wc. Bovendien lig ik al die dagen aan bed vastgeketend.

Aan de andere kant voelt het allemaal behoorlijk beurs aan van binnen, dus ik realiseer me dat ik echt nog wel even rustig aan moet doen.

Op vrijdagmiddag 3 juni komt het bericht dat ik uit het ziekenhuis ontslagen word. Om vijf uur keren we terug naar

Bangkwang. Het is spitsuur, en dan duurt de rit naar de voorstad Nonthaburi waar de gevangenis ligt, gauw een kleine twee uur. Ik zit lekker uit het raam te kijken hoe het avond wordt in Bangkok. Dan ben ik weer 'thuis'.

Terwijl we door de poort naar binnen lopen, komt net de buildingchief dronken naar buiten. Hij steekt zijn hand naar me uit en vraagt hoe het met me gaat. Ja, ik ben die Hollander die aan thaiboksen doet, hun sport, en ik kan het wel met hem vinden. Hij is altijd behulpzaam wanneer er iets is, want voor wat hoort wat. Niet dat ik elke dag met hem praat, maar als ik hem zie in het gebouw, groet ik hem wel. Hij laat ons verder met rust, dus dat is mooi zo.

De celgenoten zijn verbaasd als ik binnen kom lopen. Het is al zeven uur 's avonds, dus niemand verwacht dat ik nog die dag terugkom.

Iedereen in de cel bespringt me met vragen: 'Hallo, hoe was het? We hebben je gemist!'

'Ik jullie ook,' en voor ik het weet lig ik weer op mijn matras met mijn celgenoten te praten en denk ik: ja, ik ben weer thuis!

Die vijf dagen in het ziekenhuis zijn net vijf minuten. Een dag, een week, een maand, een jaar – het vliegt voorbij. Je gaat anders tegen de tijd aankijken naarmate je hier langer zit. Dat is ook echt iets wat je leert.

Diezelfde avond, in mijn cel, begint mijn lies weer te ontsteken. Ik moet nog een week terug naar het politieziekenhuis.

Maar als ik dan terug ben, heb ik echt het gevoel alsof ik ben teruggekeerd van vakantie! Net heb ik alweer koffie gemaakt in de cel voor Paul en Julian – weer helemaal thuis dus. Alles is weer in orde. Ik sport weer.

Soms heb ik van die periodes – en ze komen steeds vaker – dat ik gek word van deze tent, altijd al die lieden om me heen.

Nooit heb je privacy. Dan mis ik de mensen om wie ik geef en van wie ik houd. 'Wat doe ik hier?' denk ik dan.

En toch heb ik na drie dagen ziekenhuis al heimwee!

14. Ik mis de wind

Privacy, die heb je hier nooit. Het gevolg is dat je ontzettend beducht bent iets van jezelf bloot te geven. Je mijdt alle oogcontact met andere gevangenen wanneer je door het gebouw loopt. Je gaat maar ergens blanco zitten of staan. Als je een vriend tegenkomt, zie je dat wel vanuit je ooghoeken.

Er zijn hier zoveel mensen die het nog moeilijker hebben dan jij. Die zijn op zoek naar wat voor steun dan ook. Ze kijken je vragend aan en willen je steeds aanklampen.

Natuurlijk laat je dat wel eens toe van mensen aan wie je echt wel iets wil geven, maar zodra je dat doet, krijg je meteen alle gevolgen daarvan op je nek. Dan wil iedereen wat van je hebben, en dat gaat natuurlijk een beetje moeilijk.

Daarom houd je, terwijl je door het gebouw loopt, je ogen maar op de grond gericht. Tegelijkertijd kijk je goed uit je ooghoeken. Je ziet niets, maar je ziet ook alles.

En maar blijven lachen, al voel je je nog zo rot. Dat doet iedereen. Als je laat merken dat je je beroerd voelt, lijkt het wel alsof al die negatieve gedachten een overheersende invloed op je krijgen.

Er zitten hier zo'n duizend man in één gebouw, die dag in dag uit maar op één ding gericht zijn: op hun eigen overleven. De ander zien ze liever in elkaar storten. Ze gunnen je van harte dat je jouw rechtszaak verliest, want dat hebben ze zelf allemaal ook wel eens meegemaakt. Ik weet het best, alle mensen zijn egoïsten, de een wat meer dan de ander.

Ikzelf probeer onder deze omstandigheden toch steeds positief te blijven en rustig mijn eigen leven verder te leven. En, al klinkt het misschien gek: alles went.

Je bent hier nooit alleen. Maar ik voel me hier soms wel heel alleen.

Natuurlijk, ik heb mijn vrienden en kan verder met bijna iedereen wel overweg. Maar ook met de mannen bij wie ik me op mijn gemak voel, praat ik gewoon niet over bepaalde problemen die ik heb.

Wortel is mijn beste vriend hier, hij begrijpt mij heel goed, maar ik kan toch moeilijk tegen hem gaan zeuren: 'Wanneer is het eindelijk allemaal voorbij voor mij?'

Want voor mij is het, hoe dan ook, ooit een keer voorbij, die zekerheid heb ik in elk geval. Er komt een dag dat ik naar Nederland kan.

Maar voor hem duurt het nog jaren, misschien tien, misschien vijftien, voordat hij eruit komt; niemand weet dat. Daarom begin ik daar maar niet over te klagen.

Ik wil niet als een zeurpiet overkomen en laat ook niet gauw merken als iets me dwars zit, maar soms voel ik me erg alleen.

Het gebeurt regelmatig dat de celdeur 's middags dichtgaat en ik meteen begin te piekeren: 'Wat doe ik hier?' Soms lijkt het wel of dat steeds erger wordt. Dan duren de nachten ook erg lang.

Er zijn periodes dat dat gepieker me behoorlijk neerslachtig maakt. Dan krijg ik het gevoel dat ik bijna gek word, niets vind ik meer leuk, niets kan me nog interesseren, mijn ademhaling wordt onrustiger. Ik krijg er zelfs steeds meer grijze haren van, maar dat is misschien de leeftijd...

Dan spreek ik mezelf streng toe: 'Chiel, hou daar mee op! Probeer het allemaal naast je neer te leggen, want je gaat er anders onderdoor, ook al ben je nog zo fit.'

Ik heb heel fitte mensen van de ene op de andere dag hier heel snel bergafwaarts zien gaan, en ik hoop niet dat zoiets met mij gebeurt. Als je geen hoop meer hebt, als je nergens meer plezier in kunt hebben, als er niemand om je geeft, dan kan dat in de gevangenis heel snel negatief op je inwerken.

Gelukkig probeer ik er doorgaans het beste van te maken. Ik ken heus ook wel goede dagen. Dan voel ik me lekker, dan overheersen niet de gedachten aan thuis, mijn familie, mijn vrienden – al denk je elke dag wel even aan hen. Maar dat moet je ook van je af kunnen zetten, je moet verder gaan met je leven hier, dat is voor mij de enige manier om op de been te blijven.

Nee, ik wil niet zielig zijn. Ik weet nu al dat ik later, als ik weer vrij ben, de jaren die ik in Thaise gevangenschap heb doorgebracht, zal zien als een bepaalde periode in mijn leven waar ik nu eenmaal doorheen moet. Als ik hier ooit uit ben, dan is er nog steeds geen enkele pil die je tien jaar jonger maakt. Gelukkig ook maar.

Na tien jaar vind ik eigenlijk dat de tijd zelfs snel voorbij is gegaan. Misschien realiseer ik me later pas dat ik er gewoon geen besef van heb gehad hoe lang dat eigenlijk is. Bijna een kwart van mijn leven tot nu toe! En voor de Thai is dat nog maar een korte celstraf.

In Nederland had ik nog geen maand gezeten, denk ik. Marco Valeri, mijn Italiaanse vriend met wie ik samen ben gearresteerd, is dan al vier jaar vrij, besef ik ineens. Nou ja, vriend... Ik heb al die tijd nog maar één keer een kaart van hem gehad.

Eigenlijk heb ik al die jaren steeds geprobeerd, ondanks alles, er toch het beste van te maken en te genieten van alles waar ik van kan genieten. Ik heb geprobeerd te leven en niet alles negatief te zien.

Misschien zijn er mensen in de gevangenis die denken: o, die Hollander, die heeft geen problemen. Dat moeten ze dan maar denken.

Ik ben er alleen achter gekomen dat het geen zin heeft gedeprimeerd of negatief te zijn. Dat haalt mij hier geen dag eerder uit, en het maakt het alleen maar moeilijker om de tijd hier door te brengen. Alleen maar klagen, dat schiet niet op.

De sport helpt me daar ontzettend bij. Gelukkig heb ik de gelegenheid mijn sport te beoefenen. Als ik die niet had gehad, was ik zeker doorgedraaid of zelfs gek geworden.

Ik moet natuurlijk afwachten of ik hier wel helemaal goed uit kom. Dat kan ik moeilijk over mezelf zeggen. Het is ongetwijfeld enorm wennen na deze tien jaar. Ineens ben ik weer op mezelf aangewezen. Dan laten al die jaren in Thaise gevangenschap zeker hun sporen na.

Ik maak me daar steeds meer zorgen over. Telkens probeer ik me voor te stellen hoe het straks zal zijn buiten deze gevangenis. En dan ga ik vanzelf ook denken: hoe lang duurt dat nog? Elke dag denk ik daaraan. Ik probeer die gedachten wel weg te dringen, maar dan komen ze steeds sneller terug.

Er is in al die jaren een heleboel met mij gebeurd, maar de gedachten aan mijn familie en vrienden, aan de mensen om wie ik geef, en de steun van zoveel kennissen hebben mij voldoende kracht gegeven om mijn hoofd niet te laten hangen. Steeds heb ik mijn strijdlust, mijn motivatie behouden.

Ik besef heel goed wat een moeilijkheden mijn moeder al die jaren heeft moeten overwinnen. Dat is al begonnen kort na mijn arrestatie. Want niet alleen ik, maar ook Linda, mijn ex-vriendin, de moeder van onze dochtertjes, wordt gearresteerd.

Mijn moeder komt dan naar Thailand om Anouk en Simone op te halen bij de familie van Linda. De bedoeling is dat zij en mijn vader de meisjes bij hen thuis in Amsterdam opvoeden.

Maar dan laten die familieleden haar, een vrouw van in de zestig, gewoon voor niets wachten! Mijn moeder vertelt mij wat Linda's familie haar aandoet, als ze op bezoek komt in de gevangenis. Ik sta ook machteloos.

Gelukkig verloopt het ophalen van de kinderen een tweede keer wel goed. Ze wonen nu bij mijn ouders. Daar ben ik ontzettend blij mee; anders waren mijn dochtertjes en ik totaal vreemden voor elkaar geworden, dat weet ik zeker.

Daarna wordt mijn moeder ook weer met allerlei problemen geconfronteerd als zij overkomt voor een 'close contact'-bezoek, wat een- of tweemaal per jaar mag. Dan spreken we elkaar niet op afstand achter tralies, maar gewoon in een kamertje.

Van tevoren weet je precies op welke dag dat bezoek is gepland. Je staat, vol spanning, er helemaal klaar voor. Eindelijk kun je eens met elkaar aan een tafeltje zitten, samen wat eten en drinken, en vooral: elkaar aanraken.

En dan word je niet geroepen. Je weet niet wat er aan de hand is, alles is toch geregeld? Maar het bezoek blijkt, om een onverklaarbare reden, niet goed te zijn aangevraagd door de ambassade. Het is vreselijk voor mij, maar vooral voor mijn moeder.

Mijn leven in de gevangenis bestaat uit leuke, maar ook uitgesproken minder leuke dingen. Soms ben ik nergens voor in de stemming. Dan doe ik wel van alles, maar alleen om de routine erin te houden.

Maar op een ander moment voel ik me weer wat beter. Dan ben ik gezond en steek ik redelijk goed in mijn vel. Hoe ik me voel, dat wordt mede bepaald door het systeem hier, door de mensen om je heen.

Wanneer ik me goed voel, dan maakt het ook minder uit hoe lang ik hier nog moet blijven. Nog een paar maanden? Nog een halfjaar? Na zoveel jaar in de gevangenis wordt het allemaal een deel van je leven, of je dat nu wil of niet. Als je zo lang vastzit, is het gewoon alsof de tijd stilstaat, ook al loopt die natuurlijk wel door.

En als ik weer eens behoorlijk in een dip zit, spreek ik mezelf toe: 'Daar heb je niks aan, Chiel, je moet toch verder.' Dus dat doe ik dan ook.

Ik houd de dagen allemaal goed bij. Sommigen zeggen dat ze vaak niet weten wat voor dag het is, ze hebben hun verstand op nul gezet. Ik denk dat het echt beter is te weten welke dag het is.

Toch lijkt het soms wel of er nooit wat gebeurt. Er zijn van die weken dat ik helemaal geen bezoek krijg, en dan zal je altijd zien dat er ook bijna geen post komt. Volgende week misschien beter, denk ik dan maar.

Maar dan realiseer ik me weer dat ik aan al die tijd hier ook wat overhoud. Ik versta Thais, ik kan het lezen en een beetje schrijven. Ik kan naar hartelust thaiboksen, wat voor mij een van de mooiste sporten is. Ik heb heel veel leren kennen van andere culturen. Ik heb andere mensen leren kennen. Dat zijn toch positieve dingen.

Ik heb geduld gekregen, ik heb leren incasseren. Misschien had ik dat anders nooit zo ervaren: goed te leren wat vrijheid inhoudt, wat privacy betekent. Hier heb je echt nooit privacy. In Lardyao moet ik een keer in de isoleercel. Na een paar dagen merk ik tot mijn verbazing dat ik het eigenlijk wel lekker vind; eindelijk ben ik eens helemaal op mezelf, heb ik niemand om me heen. Ik heb het ervaren als een maandje vakantie.

Toch hoop ik dat de jaren in deze gevangenis nu gauw voorbij zijn. Ik kan niet wachten op de dag dat het allemaal achter de rug is. Het is geen pretje hier, maar er zijn er zovelen die het nog veel erger hebben, omdat ze helemaal geen uitzicht hebben op een beter bestaan, omdat ze geen hulp krijgen, geen familieleden of vrienden hebben die van hen houden.

Of die mensen die op vakantie zijn in Pukhet en hup, door een tsunami worden weggevaagd, zoals met Kerstmis 2004. Dat is toch veel erger dan wat wij hier moeten doormaken? Ik red me wel. Iedereen gaat uiteindelijk op een andere manier met deze situatie om.

Een jonge Engelsman uit onze cel, die ook samen met mij traint met thaiboksen, doet het door ineens allerlei pillen tegelijk naar binnen te werken. Hij is met spoed in het ziekenhuis opgenomen.

Waarom hij dat doet? Ik zou het niet weten.

Met de Thai in de gevangenis kan ik het wel goed vinden. In het algemeen hebben ze een positieve instelling. Ik spreek hun taal, ik eet hun eten, ik begrijp hun gewoontes, ik houd van hun volkssport.

Ze zeggen mij zelfs: 'Michael, jij bent hetzelfde als een Thai.' Moet ik me daarbij nu goed voelen of niet?

Toch blijven ze mij af en toe verbazen, in de goede én de slechte zin. Ik zie zoveel tegenstrijdigheden in hun denkwijze, in hun cultuur. Ik heb geen hekel aan de mensen hier of aan hun land, maar wel aan wat er in de gevangenis gebeurt en aan hun rechtssysteem. En hoewel het een politiestaat is, hebben de grootste boeven hier vrij spel.

Mensen die bij me op bezoek komen, vragen wel eens aan me: 'Wat mis je nu?' Wat het eten betreft bijvoorbeeld.

Ik moet dan even nadenken. 'Ja, bij het eten mis je natuurlijk dingen, maar wat ik het meeste mis, is het normaal aan een tafel kunnen zitten eten met mes en vork. En verder mis ik vooral een douche.'

Ik weet in elk geval wat ik níét zal missen als ik hier weg ben. Met stokjes eten, of alles met een lepel, bijvoorbeeld. Laag bij de grond in kleermakerszit zitten. Dat zijn allemaal dingen die hier eigenlijk normaal zijn.

Natuurlijk, het meeste mis ik mijn familie en de mensen van wie ik houd. Daarmee vergeleken is eten maar een bijzaak, een luxeprobleem.

Maar ik denk dan wel ineens, als we het over eten hebben, aan een broodje pekelvlees halen bij Sal Meijer in de Amsterdamse Scheldestraat.

Ik kan hier behoorlijk veel dingen kopen, ik krijg ook veel van mensen die op bezoek komen, maar als ik bijvoorbeeld een stuk kaas krijg, smaakt het toch nooit zo als een broodje kaas in Nederland.

Wat mis je niet, dat kun je misschien beter vragen. Rust hebben op het moment dat je rust wilt hebben, dat soort dingen. Alleen, daar leer je mee leven.

Wat je hier mist? Dat is voor iedereen anders. Maar als je de hele tijd maar zit te denken aan wat je allemaal mist, dan word je gek. Soms word ik er ook gek van.

Als ik wel eens wakker lig terwijl iedereen in mijn cel slaapt, dan kan ik met mijn geest naar buiten afdwalen en aan van alles denken. Of soms gewoon helemaal aan niets. Dan lig ik rustig om me heen te kijken, terwijl niemand naar mij kijkt. Die momenten geven mij ontspanning.

Hetzelfde heb ik als ik sport, dan denk ik ook aan niets anders. Alleen ben je dan lichamelijk hard bezig.

Maar ja, soms lig ik zo in de cel, terwijl bijna iedereen slaapt, naar het tl-licht tegen de muur te kijken dat nooit uitgaat en aan van alles en iedereen te denken, en dan begint opeens iemand midden in de nacht te schreeuwen. Weg mooie gedachten.

Als ik zo aan van alles denk, dan probeer ik me vooral

voor te stellen hoe het leven buiten de gevangenis zal zijn. Ik zal behoorlijk de tijd nodig hebben om weer alles normaal te vinden, dat weet ik nu al. Ik kijk daarnaar uit en zie er niet tegenop, maar dat het wennen zal zijn, dat staat vast.

Ik mis het leven. Dit is geen leven. Alles wat in de gevangenis kan gebeuren, heb ik langzamerhand wel een keer meegemaakt. Daarna begint het zitten pas echt.

Je moet continu proberen jezelf bezig te houden, positief te blijven, ergens plezier in te hebben. Dat lijkt steeds moeilijker te worden, tenminste voor mij.

Ik mis het vrije leven, ik mis mijn familie en mijn dierbaren. Ik mis de frisse buitenlucht. Ik mis de wind, dat zeker.

Waarom de wind? Terwijl ik vroeger, toen ik nog op de markt stond, de wind wel vervloekt heb.

Misschien juist daarom. We zijn hier zo'n acht uur per dag buiten, maar frisse lucht of wind, die hebben we er niet.

Of 's avonds de lucht zien, de sterren, dat mis ik ook zo. De vogels horen zingen. De zee horen ruisen. Al die dingen die zo gewoon zijn.

Alleen zijn. In het donker, alleen in je slaapkamer, een koelkast opendoen. O, daar verlang ik naar.

Maar wat ik het meeste voel als ik aan vrijheid denk: ik mis de wind. Ik wil hier weg.

Natuurlijk, buiten de gevangenis is het niet allemaal rozengeur en manenschijn. Het leven gaat verder, maar wel op een andere manier.

Hier word je geleefd. Alles wordt voor je geregeld, wanneer je je cel in en uit mag, wat je wel en niet mag doen.

Soms denk ik weleens: misschien kom ik hier ook niet meer uit. En dan merk ik dat het me eigenlijk niet echt interesseert. Behalve natuurlijk voor mijn familie, mijn kinderen, mijn goede vrienden en de mensen van wie ik houd.

Het leven is maar kort, kinderen worden groot en gaan op hun beurt weer dood, en dat is dat. Als je maar tevreden kunt zijn over het leven dat je hebt geleid, als je maar hebt gelachen, een beetje hebt kunnen doen wat je wilde en hebt kunnen zien wat je wilde zien. De rest is allemaal zo betrekkelijk.

Ik heb in Lardyao twee jaar met een Mexicaan in de cel gezeten. Hij zit er dan al tien jaar en heeft in totaal twaalf jaar in Thaise gevangenschap doorgebracht.

Hij zegt me: 'Mijn grootste straf, Chiel, is dat ik al tien jaar geen vrouw heb gehad.' Ikzelf heb er dan net vier jaar opzitten, maar ik denk al: ja Taco (want zo noem ik hem), je hebt gelijk.

In de gevangenis heb je mannen die van mannen houden – of zijn gaan houden. Misschien willen ze hier helemaal niet weg en ik kan ze soms niet eens ongelijk geven ook.

Ik heb niets tegen homo's, integendeel. Behalve dan tegen die figuren die nieuwkomers, voornamelijk Aziatische jongens, onder hun hoede nemen. Die jongens hebben misschien nog nooit de liefde bedreven, en moeten dan langzamerhand dulden dat er zieke spelletjes met hen worden gespeeld.

Maar afgezien van dat soort klanten moet iedereen vooral doen en laten wij hij wil.

Maar Taco heeft gelijk: ook ik mis de seks. Natuurlijk, het belangrijkste is het gemis van vrijheid en van degenen van wie je houdt, maar ik zou ook, als ik eenmaal uit de gevangenis ben, wel eens een hele dag niets anders willen doen dan eten, slapen, neuken, totdat ik er genoeg van heb. Daarna zie ik wel weer verder.

De een houdt meer van dit, de ander van dat. Voor mij draait het leven erom dat je ziet dat de mensen van wie je houdt zich gelukkig voelen. Dan komen geld en aanzien op de tweede plaats.

Bij welke groep je hoort, doet er dan niet toe. Dat geldt ook voor het geloof. Ik geloof natuurlijk in iets, maar of je dat nu God of Allah of Boeddha noemt, dat maakt niets uit.

Op een zondag ga ik een keer even naar de kerk. Toevallig heb ik niet zo lang tevoren zitten denken: wat heeft het eigenlijk allemaal voor zin als je geen liefde hebt of kunt geven? Natuurlijk, geld is belangrijk en iedereen heeft het nodig, maar als je geen liefde kunt geven of kunt delen, dan blijft er maar heel weinig over en ben je leeg.

Als ik dat soort gedachten heb, ben ik niet in een sentimentele bui of zo, maar zo is het gewoon, denk ik.

Dus ik loop even de kerk binnen, ik ga zitten, en waar gaat het over? Dit onderwerp. Dat is toch wel heel bijzonder.

In de cel zit ik met mijn discman op te luisteren naar Nederlandse muziek: hiphop, allemaal verschillende Nederlandse liedjes, oud en nieuw, in een nieuwe versie of een remix.

Ja, dat doet me goed. Halfacht 's avonds, op een handdoekje op mijn matras zo zitten te luisteren naar goede muziek op de koptelefoon. Koffie in mijn kopje scheppen, heet water erbij, even roeren – heerlijk!

De muziek doet me verlangen naar een lange rit op de snelweg. De werkdag zit erop, ik rijd terug naar – waarheen? Naar huis? Nee, niet naar huis.

Ook zo'n gevoel dat ik mis: even helemaal alleen op de weg. Nu zit ik even alleen met mijn kopje koffie. Want ook al zit ik in nog zo'n mensenmassa, ik kan me afzonderen. Ik zie ze wel, die anderen, maar ook weer niet. Ik hoor ze wel, maar tegelijk ook niet. Als ik dat wil, tenminste.

Ik mis Nederland ook, merk ik. Ik mis ons mooie kikkerlandje. Dat is toch mijn land, mijn cultuur, met al die verschillende culturen door elkaar. Ik mis de koude wind. Ik mis veel te veel.

Er staat een liedje op de cd, *Het land van*, door Lange Frans en Baas B. Het is een soort rap, maar ik krijg kippenvel als ik het hoor.

Dat doet me ook goed. Dan ben ik trots op Nederland – dat ben ik altijd wel geweest, trouwens. Het klimaat kan alleen wat beter. Nu wil ik niets liever dan daar naartoe. Maar dan vraag ik mezelf ineens af: 'Als ik daar weer ben, wat moet ik dan allemaal gaan doen?' Als ik daarover ga nadenken, word ik helemaal gek. Dus ik stel mezelf gerust: 'Chiel, dat zien we dan allemaal wel weer.'

Hoe zal Nederland zijn, hoe Amsterdam? Er is ongetwijfeld heel veel veranderd. Ben ik ook veranderd? Ik denk van wel.

Ik heb er soms een beetje moeite mee mijn gevoelens te uiten. Dat zal ik wel van mijn vader hebben. Maar het lukt toch steeds beter, denk ik.

En verder is het wachten, wachten en nog eens wachten. Het duurt maar en duurt maar. Ik word gek van het wachten en wachten. Soms gaat het langs me heen en voel ik het niet, maar het wordt steeds zwaarder, lijkt het wel. Ik kan mezelf af en toe niet beheersen.

Maar één ding krijg je hier gratis erbij geleverd, en dat is geduld, of je het nu wilt of niet. Niet dat je nergens meer in geïnteresseerd moet zijn of verbitterd moet worden, dat niet.

Maar het heeft geen zin je overal druk om te maken. Daar heb je tenslotte alleen maar jezelf mee, of je krijgt er een hartaanval van. Natuurlijk, ik weet dat iedereen dat zomaar kan overkomen, jong of oud, gezond of niet. Maar het helpt wel als je jezelf zo goed mogelijk verzorgt en rustig blijft, als je positief blijft denken.

En hoe voel ik mezelf dan? Als er iemand van de ambassade komt en me vraagt: 'Hoe gaat het met je?', ja, dan moet ik daar wel op antwoorden.

Hoe het met me gaat? Klote!

15. Intussen, in Amsterdam (3)

De laatste paar jaar zijn voor Pita Kuijt, Machiels moeder, buitengewoon zwaar. Elke keer weer lijkt er hoop op te vlammen dat haar zoon binnen afzienbare tijd de Thaise gevangenis uit mag. En elke keer weer wordt die hoop gesmoord in een nieuwe teleurstelling. Het wachten duurt ondraaglijk lang, vertelt Pita Kuijt. Zij beschrijft die laatste jaren, haar contacten met het ministerie van Buitenlandse Zaken en haar laatste bezoek aan Machiel.

Eerst hebben we de euforie over het staatsbezoek van koningin Beatrix, in januari 2004. Iedereen is in een hoerastemming.

Minister Ben Bot komt op de televisie vertellen dat het verdrag met Thailand over de terugkeer van gevangenen naar hun vaderland heel spoedig zal worden getekend, en dat de cassatiezaak van Machiel binnen zes maanden zal dienen. Dat is geweldig nieuws, hoe de uitspraak in cassatie ook gaat uitpakken.

Wel, het verdrag is inmiddels getekend. Het kent allerlei restricties, waarvan iedereen bij Buitenlandse Zaken dan mag bezweren dat die er niet zijn. Ik denk intussen: allemaal leuk en aardig, maar ik lees die beperkingen wél.

En de cassatie is twee jaar later nog steeds niet behandeld. Ik heb daar zowat om de paar dagen contact over met Buitenlandse Zaken.

Zo hebben we in de loop van 2005 weer eens een gesprek op het ministerie in Den Haag, samen met Geert-Jan Knoops, de advocaat van Machiel, en zijn vrouw Carry Hamburger. Peter van Wulfften Palthe, directeur-generaal consulaire zaken van het ministerie, vertelt ons daar dat ze weinig kunnen doen: 'Een blik mariniers opentrekken is een beetje moeilijk.' Ja, zover ben ik ook al gekomen.

'Dat vind ik heel leuk,' antwoord ik, 'maar wat zijn jullie dan wél van plan?'

Jules Maaten, de VVD-Europarlementariër die sterk voor het lot van Machiel opkomt, heeft al geopperd in EU-verband gelden terug te trekken. Daar heb ik ook nooit meer wat van gehoord. Er gebeurt gewoon niets.

'Mevrouw Kuijt,' zegt Van Wulfften Palthe dan, 'heeft u er al eens over gedacht...'

Ik onderbreek hem meteen: 'Ik weet precies wat u wilt gaan zeggen. U wilt voorstellen dat Machiel de cassatie intrekt.'

Hij bevestigt dat.

'Dus u verwacht dat onze zoon verklaart dat hij schuldig is, terwijl hij onschuldig is?' reageer ik boos. 'Dat doet hij nooit.'

Maar ik voeg er wel wat aan toe: 'Toch heb ik daar ook al over nagedacht. Als ik de garantie krijg van de Nederlandse regering dat hij in dat geval ook thuiskomt, dan interesseert het me geen bliksem dat hij in ieders ogen schuldig lijkt. Als hij maar thuiskomt. Maar hij is een volwassen man, ik kan niet voor hem beslissen.'

Voor de zoveelste keer verlaten we Den Haag met een ontevreden gevoel. We hebben weer een aardig gesprek gehad, maar het levert opnieuw helemaal niets op. Behalve dan de suggestie dat Machiel zijn cassatie zou kunnen intrekken en dat het ministerie dan wat voor hem zou kunnen doen.

Later krijg ik daarover een brief via Geert-Jan Knoops, waaruit blijkt dat het ministerie totaal geen toezegging kan doen hoeveel tijd een beroep op het verdrag dan eventueel zou gaan vergen.

In februari 2006 zijn we inmiddels bijna negen jaar verder, maar we hebben tot nu toe nog niets bereikt, het ministerie van Buitenlandse Zaken ook niet. Waar ze zich achter verschuilen, ik weet het niet, maar Machiel is langzamerhand onderwerp geworden van een of ander politiek steekspel, anders kan ik het niet zeggen.

Ik heb in die maand een langdurig telefoongesprek met Pieter Marres, de Nederlandse ambassadeur in Bangkok. Hij is een verademing, vergeleken met zijn voorganger, Gerard Kramer. Marres begrijpt ogenblikkelijk waarover ik het met hem wil hebben. Half maart loopt de termijn af van de nieuwe toezegging van de Thaise regering over de behandeling van de cassatie van Machiel. Dat is dan al de tweede keer dat zo'n toezegging wordt gedaan. De eerste belofte aan minister Bot, tijdens het staatsbezoek van koningin Beatrix aan Thailand, is nooit nagekomen. Maar in september 2005 komt er een schriftelijke verzekering van de Thaise regering dat de cassatie 'waarschijnlijk binnen een halfjaar' zal dienen.

Sindsdien is het een afschuwelijke tijd. Het is moeilijk uit te leggen. Elke dag weer zit ik maar op één ding te wachten: wanneer zal de telefoon gaan, wanneer komt het bericht wanneer de cassatie dient? Hoe de uitspraak ook gaat luiden, aan deze onzekerheid moet eindelijk een eind komen. Niet alleen voor mij, zeker ook voor Machiel zelf. Wij kunnen hier nog bij wijze van spreken een bord door de kamer gooien als het ons allemaal te veel wordt, maar hij kan helemaal niets doen en is totaal afhankelijk van ons.

De laatste keer dat ik onze zoon heb gezien, is in februari 2004. Dat is al heel lang geleden. Ik zal proberen uit te leggen waarom ik hem daarna niet meer in Bangkwang heb opgezocht.

In 2004 is er weer een keer gelegenheid voor een open bezoek, 'close contact' noemen ze dat in de gevangenis. Dan zit je op een soort pleintje, weliswaar met heel veel andere mensen, maar je kunt elkaar dan in elk geval even aanraken, een zoen geven, je kunt wat rustiger met elkaar praten. Het ergste is dat je ook dan totaal geen privacy hebt. Je komt die ruimte binnen en iedereen staart je aan. Doordat ik al zo vaak bij Machiel op bezoek ben geweest, kennen ook andere gevangenen me intussen. Die willen dan even een praatje maken met Machiel, hem ook aanraken nu dat mogelijk is.

Ik begrijp dat heel goed, maar dan zegt Machiel al snel: 'Jongens, nu even stoppen, ik wil nu met mijn familie alleen zijn – voor zover dat mogelijk is dan.'

Wanneer ik in 2004 tegen de kleinkinderen zeg dat ik weer naar hun papa ga, kijken ze mij aan, verdwijnen even naar hun kamer en komen dan samen terug met de mededeling dat ze mee willen. Dat is het laatste wat ik verwacht.

Ik schrik erg en mijn eerste reactie is: 'Lieverds, dat is onmogelijk, dat kan niet.' Waarop ze mij aankijken en zeggen: 'Oma, we weten het heus wel hoor. We willen papa alleen maar even zien.' Nog een keer zeg ik dat het echt niet kan, maar ze blijven aandringen.

Plotseling realiseer ik mij dat ik het die kinderen eigenlijk niet mag onthouden bij hun vader op bezoek te gaan. Je weet nooit wat er in al die jaren die mogelijk nog volgen in de gevangenis gaat gebeuren. Er komen zoveel ziektes voor, er is zoveel geweld.

Ik zeg tegen de kinderen dat ik het met opa zal bespreken. Maar Ad, mijn man, reageert ogenblikkelijk: 'Geen sprake van.'

Zijn grootste angst is dat ik ziek word of dat er weet ik wat gebeurt terwijl ik daar met de kinderen ben. Wie moet er dan voor ze zorgen?

Ik praat op Ad in en leg hem uit dat de kinderen zelf heel duidelijk aangeven dat ze het echt willen. Zijn afwijzing is dan al iets minder definitief dan eerst. Ik praat er nog over met diverse mensen die ik vertrouw. Allemaal geven ze als advies: 'Pita, als de kinderen het zelf aangeven, doe het dan.'

Maar pas als een huisvriend van ons te kennen geeft dat hij meegaat naar Thailand en ook Charles Sanders van *De Telegraaf* ons vergezelt, vindt mijn man het goed dat de kinderen meereizen.

Maar daarmee breekt voor mij ook het moeilijkste onderdeel aan. Ik realiseer me heel goed dat ik de kinderen moet voorbereiden. Ik kan ze onmogelijk zomaar mee naar binnen nemen. Geleidelijk aan vertel ik ze dus wat hun te wachten staat. Maar de meisjes reageren zo verschrikkelijk gemakkelijk; ze weten het eigenlijk allemaal al.

Nog nooit ben ik zo zenuwachtig geweest tijdens een vliegreis naar Thailand. Hoe zal Machiel reageren, hoe zullen de kinderen zich houden? Ik heb ze wel alles verteld, ze kennen de omstandigheden daar van foto's, maar de werkelijkheid is zo totaal anders.

Ik heb Machiel van tevoren geschreven dat de kinderen alleen meegaan naar het 'close contact'-bezoek, en dat ik bij het reguliere bezoek alleen zal komen.

Vroeg in de morgen gaan we al naar de gevangenis. Bij het invullen van alle papieren blijkt dan dat die ochtend niet het 'close contact', maar het reguliere bezoek aan de orde is. We zijn echter al binnen, dus we kunnen er weinig meer aan veranderen. We moeten gaan zitten, zoals voor mij al gewoon is, en een tijd wachten. En de kinderen maar vragen: 'Wanneer komt papa Chiel nu?'

Ik leg ze uit: 'Hij moet eerst opgehaald worden.'

Eindelijk, na twintig minuten, misschien wel een halfuur, komt Machiel er aan. Even zie ik hem terugdeinzen; hij rekent er immers niet op dat de kinderen erbij zijn. Machiel kijkt naar mij, ik knik dat het goed is. Hij houdt zich verschrikkelijk groot, onze zoon, en begint meteen met zijn dochtertjes te praten.

Het gesprek verloopt eigenlijk, ik kan het heel moeilijk omschrijven, zo vanzelfsprekend. 'Pap, krijg je hier wel genoeg te eten? Dat maakt niets uit hoor, wij hebben hele tassen vol met van alles en nog wat bij ons.'

Machiel vraagt natuurlijk hoe het met ze op school gaat, wat ze aan sport doen, de normale, alledaagse dingen. Hij doet er echt alles aan om het gesprek zo rustig mogelijk te laten verlopen.

Dan stelt Simone, de jongste, voor: 'Papa, zullen we een spelletje doen?'

Machiel kijkt mij verbaasd aan en zegt: 'Dat kan toch niet? Hier zitten tralies en glas, hier kunnen we geen spelletjes doen.'

'Nee,' antwoordt Simone. En dan: 'O, ik weet het al, we doen gewoon "Ik zie ik zie wat jij niet ziet".'

Als je er niet bij bent geweest, kun je je die bizarre situatie niet voorstellen. Twee kinderen die met hun vader 'Ik zie ik zie wat jij niet ziet' zitten te spelen in de beruchtste gevangenis van de wereld.

Het gesprek is afgelopen, we moeten weg. Die middag kunnen we terugkomen voor het 'close contact'-bezoek. In de tussentijd wandelen we wat, je kan toch geen kant op.

Tijdens het open bezoek prent ik mezelf maar één ding in: 'Hou je goed, niet huilen, blij zijn.'

Het is alweer een ontzettend ontspannen sfeer. Kinderen zijn zo flexibel, dat is echt ongelooflijk.

Op gegeven ogenblik komt een bewaker naar Machiel toe en zegt hem iets in het Thais, dat ik niet kan verstaan. Maar dan begrijp ik dat er een mogelijkheid is om foto's te maken. Ik zie onze zoon nog weglopen, aan iedere hand een dochtertje, en dan breekt er iets in mij. Het kost me echt moeite mezelf bij elkaar te rapen voor hij terugkomt.

Nadat die foto's zijn gemaakt, is ook de tijd voor dit gesprek weer afgelopen. We moeten weg.

Dat gaat heel vreemd. Eerst moeten de gevangenen allemaal in een rij gaan staan om geteld te worden. Het enige dat je dan nog kan doen, is even zwaaien. Daarna kunnen wij vertrekken.

Ik heb met Charles Sanders en onze vriend afgesproken dat zij na terugkeer in het hotel met de kinderen meteen het zwembad in duiken om alles even uit die koppetjes weg te spoelen. Maar eigenlijk is dat niet eens nodig.

Het is net of de meisjes het al die tijd al hebben geweten. Ze hebben hun vader nu gezien en gesproken. Ze pakken het onvoorstelbaar gemakkelijk op.

We moeten weer naar huis toe. Dat is het ergste wat er is. Je zit te wachten in je hotel, je weet dat op een uurtje afstand je kind zit, en je kan niet nog even naar hem toe.

En als het vliegtuig dan is opgestegen, je hangt in de lucht en je kijkt naar beneden, je ziet daar Bangkok met al die duizenden lichtjes – dan is je enige gedachte: 'Wanneer zie ik hem weer? Hoelang gaat dat duren?'

Thuis heb ik weken nodig om weer in mijn normale ritme te komen.

Dan komt een brief van Machiel. Hij heeft het zo fijn gevonden zijn kinderen te zien, nu voor zijn ogen te hebben hoe ze eruit zien en hoe lief ze zijn. Maar, schrijft hij tegelijk, hij wil niet meer dat we nog een keer komen. Dat is niet gemakkelijk uit te leggen, maar ik begrijp hem wel.

Hij schrijft woordelijk: 'Als jullie weg zijn, heb ik weken nodig om weer het normale gevangenisritme op te pakken, om alles uit mijn gedachten te zetten, om weer te vechten om overeind te blijven. Nu weet ik dat alles goed is. Ik heb ze gezien, en ik kan dat momenteel even niet aan.'

Ik heb hem teruggeschreven dat ik daar alle begrip voor heb, en dat voor ons precies hetzelfde geldt – hoe moeilijk dat ook is. Dus sindsdien ben ik niet meer bij hem op bezoek geweest. Ik zit alleen maar te wachten op de behandeling van de cassatie. Ik vind dit niet meer menselijk, dag na dag wachten of die telefoon misschien gaat. Maar ja, we hebben weinig keus.

En advocaat Geert-Jan Knoops heeft gezegd: 'Als er werkelijk een onafhankelijke rechter is, moet Machiel vrijgesproken worden.'

Maandag 27 maart 2006 is het dan zover. De nacht tevoren heb ik natuurlijk niet geslapen. Om half zeven 's morgens komt eindelijk het telefoontje uit Thailand. Het is Charles Sanders van *De Telegraaf*. Voor mij is het een grote troost dat hij en Bert Steinmetz van *Het Parool* naar Bangkok zijn gegaan om de uitspraak bij te wonen en Machiel te steunen.

Na een paar woorden weet ik eigenlijk al voldoende. Ogenblikkelijk laat ik mijn man Ad weten dat het weer levenslang is. Mijn enige zorg is dan: 'Hebben jullie hem nog kunnen spreken? Hoe heeft hij zich gehouden? Is hij niet ingestort?'

Op zo korte termijn – ik hoor de vrijdag tevoren pas dat maandag de uitspraak zal zijn – is het voor mij onmogelijk zelf naar Bangkok te gaan. Bovendien heeft Machiel mij geschreven dat hij niet wil dat ik erbij aanwezig ben. Dat heeft zijn reden. Het is heel moeilijk je goed te houden als je die uitspraak hoort. Je moet het op je eigen manier verwerken, dus is het beter dat ik er niet bij ben.

Ook Geert-Jan Knoops belt al vroeg. Hij is halsoverkop teruggekeerd uit Sierra Leone, omdat zijn vrouw Carry Hamburger in het ziekenhuis ligt na een vreselijke val. Het spijt hem dat het definitieve vonnis toch levenslang is.

Gauw bel ik dan wat goede vrienden om ze te laten weten wat het vonnis is. Zo ook Frits Barend en Henk van Dorp. Ik herinner me de reactie van Henk: 'Verdomme!' En meteen daarop: 'Pita, zal ik naar je toe komen?' Dat zal ik nooit vergeten.

Ik antwoord hem: 'Dat hoeft niet, een aantal dierbare vrienden zit al sinds zes uur vanmorgen bij me.'

En dan komt het rare. De kinderen moeten wakker gemaakt worden, hun ontbijt klaargemaakt, ze moeten de kleren aan voor school, allemaal alsof er niets aan de hand is. Ad brengt Anouk en Simone om acht uur naar school.

Daarna breekt de hel los. De hele dag door rinkelt de telefoon, de televisie staat aan, constant zie ik onze zoon in het nieuws voorbij schieten.

Die avond ga ik naar het tv-programma van Barend & Van Dorp. Ik ben doodmoe, ik heb al 24 uur niet geslapen. Maar zoals altijd trekken Frits en Henk mij er weer doorheen.

De volgende dag zit ik mezelf maar in te prenten: het was vijftig procent kans, alles kon gebeuren. Niet zeuren, doorgaan. Maar ik blijf maar denken: 'Hoe zal het met hem gaan daar?' Je hebt een zoon, maar hij is zo vreselijk ver weg. Wanneer zal ik hem nog gewoon thuis zien, bij zijn kinderen? Ik raak er danig door in de put en kan mijzelf er moeilijk uit krijgen.

Het lukt me maar niet uit dat dal te raken. Alleen als de kinderen uit school thuiskomen, gaat de knop om en is alles weer vrolijk. En ik moet zeggen dat de steun van heel veel mensen, ook die ik niet eens persoonlijk ken, mij ontzettend heeft geholpen.

Als ik de dag na de uitspraak de kinderen uit school haal, komt een vrouw naar mij toe die ik helemaal niet ken. Ze vertelt mij dat ze steeds alles over Machiel heeft gevolgd en haar tante erover heeft gebeld. Haar tante, moet ik weten, is majoor Bosshardt van het Leger des Heils. Alida Bosshardt is dan 93 en allang met pensioen met de rang van luitenant-kolonel, maar zij blijft majoor Bosshardt. Wel, majoor Bosshardt wil mij graag ontmoeten. Ik kijk de vrouw eerst niet begrijpend aan. Wat kan majoor Bosshardt voor mij betekenen? Nou, vertelt de vrouw, zij heeft heel goede connecties met de koninklijke familie.

Dus ik maak een afspraak, en op zaterdagmiddag ga ik met die vrouw naar haar tante. Nu ben ik niet gauw geïmponeerd door mensen, maar majoor Bosshardt maakt een enorme indruk op mij. Voor haar leeftijd heeft ze geweldig pientere ogen waarmee ze je scherp opneemt. Van deze vrouw gaat zoveel kracht uit, zoveel wijsheid. En ze weet precies wat ze je vragen wil. Op tafel voor haar liggen krantenberichten, en daar wil ze wel meer van weten. We zitten een hele tijd te praten.

Opeens zegt ze tegen haar nicht: 'Pak eens even wat schrijfpapier.' Ze wil meteen een brief aan koningin Beatrix sturen. Ik laat die haar helemaal in haar bewoordingen schrijven, ik wil er geen enkele inmenging in hebben.

Als zij klaar is, zegt ze kordaat: 'Zo, nog een envelop en postzegels, dan kunnen jullie hem dadelijk meteen in de brievenbus doen.' Om vijf uur vertrekken we, de brief doen we direct op de post.

Een paar dagen later word ik opgebeld. Ik herken haar stem meteen. Sommige mensen hebben zo'n stem: al heb je diegene maar één keer gesproken, je weet direct wie het is. Zij vertelt dat ze is gebeld door het paleis en dat de koningin terdege op de hoogte is van de zaak. Ik heb haar heel vriendelijk bedankt. Daarna heb ik nog een keer telefonisch contact met majoor Bosshardt gehad. Ik heb haar beloofd dat ik haar zeker nog een keer met de kinderen ga opzoeken.

Nu hebben we maar één hoop: een snelle afhandeling van de procedure volgens het verdrag. Gelukkig gaat dat nu allemaal snel, daar zijn we heel blij mee. Verder kunnen wij opnieuw niets anders doen dan wachten, wachten op de beslissing over Machiels overbrenging naar Nederland.

16. Wachten, wachten, wachten

Het is half september 2005, en ik voel me opgelucht, een stuk beter dan de voorgaande maanden. Dat komt, denk ik, omdat ik de knoop heb doorgehakt. Ik trek mijn cassatieverzoek níét in. De laatste tijd, merk ik bij mezelf, kom ik bijna nergens toe. Ik ben er niet voor in de stemming. Ik doe alleen maar dingen die ik nodig vind om de routine erin te houden. Maar nu ben ik eruit en weet ik wat ik wil. Natuurlijk, ik wil hier weg, ik wil bij mijn ouders zijn, bij mijn kinderen, bij iedereen die mij dierbaar is.

Daarom denk ik er maandenlang serieus over die cassatie maar helemaal te laten zitten. Laat ik maar gelijk een beroep doen op het verdrag, waardoor ik naar Nederland kan worden overgebracht.

Ik pieker, ik weeg de voors en tegens af.

Want er staan ook argumenten tegenover. We weten het maar al te goed: beloftes en mondelinge toezeggingen van de Thaise regering stellen niet veel voor. Dus waarom zou ik dan stoppen met de cassatie en de Thai het idee geven dat ik schuld beken?

Als ik mijn zaak goed bekijk, als ik alle feiten op een rij zet, als ik bedenk hoe het beroep is verlopen, dan moet ik mijn cassatiezaak wel winnen en vrijgesproken worden. Maar misschien is het wel moeilijk voor de rechters tot zo'n beslissing te komen, vanwege alle publiciteit die mijn zaak heeft opgeroepen. Dit is en blijft uiteindelijk Thailand.

Ze weten dat de uitspraak in cassatie groot in het nieuws

komt, of ik nu wel of niet met de media praat. Vrijspraak levert ze dan ook slechte publiciteit op. Want dan volgt vanzelf de vraag: hoe kunnen ze iemand eerst bijna negen jaar vasthouden en dan vrijspreken? De cassatie verloopt ook alleen maar schriftelijk, net als mijn hoger beroep. Toen werd vrijspraak omgezet in een veroordeling tot levenslang. Dus wat moet ik nu verwachten? Het kan bovendien nog maanden duren voordat het Opperste Gerechtshof een uitspraak doet. Zo bezien kan ik maar beter stoppen met de cassatie en meteen aanspraak maken op het verdrag.

Eén ding staat nu wel vast: ik ben niet al in 2005 terug in Nederland. Goed, dan wacht ik wel. Zolang ik gezond ben en me redelijk voel, maakt een maand of twee, drie of zelfs een halfjaar langer hier in de gevangenis ook niet meer uit.

Maar ja, ze doen hier wat ze willen. Het lijkt wel of alles zo maar kan.

Eerst is er toch ook de toezegging van de Thaise regering aan Nederland tijdens het staatsbezoek van koningin Beatrix aan Thailand, in januari 2004. Binnen zes maanden zou mijn cassatie worden behandeld. Moeten ze opnieuw leren tellen of zo?

Nee, het interesseert de Thaise regering niets. En als daar vanuit Nederland niets tegen wordt ondernomen, is het helemaal gemakkelijk natuurlijk.

Tijdens het staatsbezoek van de koningin krijgen twee andere Nederlanders gratie: Pedro Ruijzing en George Ofosuhene. Ruijzing heeft er dan bijna negen jaar opzitten; Ofosuhene, een Ghanees met een Nederlands paspoort, al meer dan tien jaar.

Ik heb geen enkele band met die twee. Met Pedro Ruijzing heb ik hier drie maanden samen gezeten, maar al die mensen met wie hij in één gebouw heeft verbleven, kent hij nu niet meer. Het enige wat wij hem vragen wanneer hij vrijkomt, is of hij een fles whiskey op wil sturen voor de jongens met wie hij jaren heeft doorgebracht. Nou, die fles moet nog komen. Ik denk dat hij na een maand het adres van Bangkwang al niet meer weet.

Wat interesseert het mij ook. Je kunt niet met iedereen bevriend zijn, en dat wil ik ook zeker niet.

Ik hoor dat de opbrengst van Ruijzings boek, *Levenslang in Thailand*, naar Prisonlife gaat, een stichting met een website die naar aanleiding van zijn Thaise gevangenschap is opgericht. In februari 2006 is de site gestopt.

Laat Pedro het geld lekker zelf houden! Hij hoeft er niets van weg te geven. Daar hebben wij ook nooit om gevraagd.

Waarom moet Ruijzing zo nodig allerlei verhaaltjes voor Prisonlife schrijven? Hij kan maar beter voorlichting geven; daar is hij goed in, denkt hij. Heeft een stichting die zegt voor de belangen van gevangenen in het buitenland op te komen, niets beters te doen? Als de voorzitter met het geld van de stichting in Thailand zit, zie ik hem niet bij de gevangenen langsgaan.

Het verdrag met Thailand, dat ook tijdens het staatsbezoek is afgesproken, wordt in augustus 2004 gelukkig eindelijk getekend.

Maar op dat moment begint voor mij dus ook het dilemma. Als straks april 2005 passeert, zullen mijn acht jaar erop zitten. Maar wanneer kan ik naar Nederland?

Is het dan toch niet verstandiger mijn cassatie te laten vallen? Het kan nog wel ik weet niet hoeveel maanden duren voordat ik naar de rechtbank word geroepen om de uitspraak van het cassatiehof te horen.

In dat opzicht heb ik er zelf weinig vertrouwen meer in. Dus wat is wijsheid?

Er speelt bovendien nog een ander probleem mee. Het is nog volkomen onduidelijk of Linda, mijn ex-vriendin en de moeder van onze kinderen, nu wel of niet ook naar Nederland kan gaan met het nieuwe verdrag. Zij heeft de Nederlandse én de Thaise nationaliteit, en dat laatste is een complicerende factor. Ik heb de ambassade om duidelijkheid gevraagd en die zoekt uit of ze haar Thaise nationaliteit kan laten vallen.

Maanden gaan voorbij met al deze onzekerheid en twijfels. Soms denk ik: laat mij maar met rust, dan ga ik wel verder met mijn leven hier. Er zijn dagen dat je best tevreden bent, ondanks alles.

Maar dan is het december en staat voor we het weten 2005 voor de deur: nieuw jaar, nieuwe kansen.

In maart 2005 komt ambassadeur Pieter Marres bij mij op bezoek om met me te praten over mijn dilemma. Op 1 april treedt het verdrag in werking. Wat moet ik doen? Blijven wachten op de uitslag van de cassatie, die misschien pas eind van het jaar komt, of nog later, in 2006?

Als ik het cassatieberoep win, dan is dat mooi. Maar als ik dan niet word vrijgesproken, moet ik daarna alsnog aanspraak maken op het verdrag voor overbrenging naar Nederland. In dat geval ben ik misschien pas eind 2006 thuis. Als ik nu de cassatie stopzet en een aanvraag indien voor overbrenging naar Nederland, dan kan ik aan het begin van 2006 al thuis zijn.

Ja, indien de rechtspraak echt onafhankelijk is, moet ik gewoon mijn rechtszaak winnen. Maar de rechters zijn niet zo onafhankelijk, dat weet ik inmiddels. En de Thai zijn buitengewoon gevoelig voor gezichtsverlies.

Dus wat heb ik voor kans? In alle gevallen heb ik geen enkele zekerheid, daar komt het op neer. Er is van alles gezegd en geprobeerd, maar niemand kan mij een concrete toezegging doen.

Ik weet dat ze op het ministerie van Buitenlandse Zaken ook al met mijn moeder hebben gepraat over de mogelijkheid dat ik mijn cassatie laat vallen. Daar wil zij niets van weten. Aan mijn moeder zal het echt niet liggen. Maar wat kan ik er zelf aan doen om ervoor te zorgen dat mijn zaak eens een beetje gaat opschieten, of dat iemand een keer wat weet? Want er weet nooit iemand wat, dat is het enige wat ik weet.

Bij de ambassade zeggen ze alleen: 'Ja, we zijn op de hoogte van je zaak, maar die is nog steeds niet behandeling genomen.' Als zij het al niet weten of zich er niet mee kunnen bemoeien, wie dan wel? Dus moet ik maar wachten.

Moet ik mijn poot stijf houden met het risico dat ik over een jaar alsnog een verzoek in moet dienen om in aanmerking te komen voor het verdrag, en dus nog veel langer dan een jaar hier moet doorbrengen? Ik denk er al die maanden over na zonder te weten wat ik moet beslissen.

Ook als ik aan het sporten ben, spookt het steeds maar door mijn hoofd: wat moet ik doen? Stoppen met de cassatiezaak? Of toch doorzetten en misschien nog een jaar moeten wachten op de uitspraak?

Zo verstrijkt april 2005, de termijn dat ik acht jaar in Thailand gevangen zit en een beroep kan doen op het verdrag. Maar nog steeds geen uitspraak in mijn cassatie! Nederland kan zich daar niet mee bemoeien, krijg ik te horen.

Dan denk ik terug aan 2 november 2003. Ik krijg dan bezoek van de ambassade. 'Alles goed met u, meneer Kuijt?' komen ze even informeren.

In dezelfde tijd zijn ze bij Pedro Ruijzing om hem mee te delen dat hij zijn verzoek om amnestie bij de koning moet indienen; er is een heel grote kans dat het wel goed komt bij het bezoek van koning Beatrix. En drie maanden nadat hij het verzoek om amnestie heeft ingediend, wordt hij op vrije voeten gesteld.

Dat is goed voor hem en voor George Ofosuhene, die ook vrijkomt, want zij zitten al lang genoeg. Maar deze zaak toont aan dat er echt wel iets aan de Thai kan worden gevraagd zonder hen daarmee te beledigen. Binnen drie maanden is een amnestie voor Pedro Ruijzing geregeld, terwijl anderen jaren en jaren op hun uitslag moeten wachten.

Stel dat onze minister van Buitenlandse Zaken, Ben Bot, hier komt en tegen zijn Thaise collega zegt: 'Die zaak van Machiel Kuijt duurt wel érg lang, hè? We hebben het hier uiteindelijk niet over een megadrugszaak. Kunnen jullie na acht jaar niet een beslissing nemen zodat dit achter de rug is?' Ik kan mij niet voorstellen dat de Thaise minister er dan tevreden mee is als de Thaise rechter zegt: 'Wij zijn op de hoogte van de zaak-Kuijt', meer niet.

Dus: wanneer dient mijn zaak nu eindelijk? Dat is toch niet zo'n gekke vraag?

Door al die onzekerheid gaat het wachten me steeds moeilijker af. Er zijn meer gevallen zoals het mijne, maar er zijn er niet veel die al zo lang wachten. En dat zijn dan ook nog heel grote zaken, of zaken met Thaise verdachten.

En waarom kan er niet nu al worden begonnen het papierwerk in orde te maken, voor het geval ik eventueel een beroep doe op het verdrag voor uitwisseling van gevangenen. Ze kunnen toch al voorbereiden hoe ze dat gaan doen? Het gerechtshof in Arnhem moet bijvoorbeeld mijn papieren gereed maken en opgeven wat in Nederland de strafmaat voor mijn delict is; dat kan toch nu al?

De Fransen geven op dat een Fransman die aanspraak maakt op het verdrag, in Frankrijk de maximale straf krijgt voor drugsdelicten, dat is tien jaar. Een Fransman die in Thailand levenslang heeft gekregen, moet dus eerst acht jaar hier hebben gezeten voor hij aanspraak kan maken op het verdrag. Dat vergt nog eens zeg negen maanden. Dan gaat hij terug naar Frankrijk en verschijnt daar voor een Franse rechtbank. Meestal krijgt hij dan nog een paar maanden en komt vervolgens vrij.

De Duitsers doen hetzelfde. Daar is de maximumstraf voor drugszaken vijftien jaar. Een Duitser moet als hij na acht jaar met het verdrag naar zijn land teruggaat, daar vaak nog een jaar of zo zitten met kans op weekeindverlof.

Amerikanen en Canadezen komen, na hun terugkeer, allemaal binnen een halfjaar weer voorwaardelijk op vrije voeten.

Nederland en Thailand hebben in het verdrag vastgelegd dat zij wederzijds respect hebben voor elkaars rechts- en strafsysteem. Voor de Thai betekent dat: je komt niet meteen bij terugkeer op Schiphol vrij. Maar in Nederland geldt wel een maximumstraf van twaalf jaar voor drugsdelicten, en aangezien je automatisch na twee derde vervroegd wordt vrijgelaten, betekent dat dus dat je niet langer dan acht jaar hoeft te zitten. Of geldt dat alleen voor in Nederland gepleegde delicten?

Ik heb in deze acht jaar meer dan vierhonderd mensen terug zien gaan naar hun vaderland. Nog nooit is een beroep op een verdrag geweigerd. Wel duurt het voor de een wat langer dan voor de ander, maar gemiddeld kunnen ze allemaal binnen één jaar weg. nadat ze een aanvraag hebben getekend voor overbrenging naar hun eigen land.

In maart 2003 gaan 350 Nigerianen tegelijk naar huis, dankzij een verdrag. In mei 2005 gaan er weer zestig.

Zo veel landen halen hun mensen terug. Duitsland doet dat, Frankrijk, Italië, Zweden, Denemarken, Estland. De Verenigde Staten en Canada doen het ook.

Ik hoop natuurlijk dat ik het niet nodig heb een beroep op dat verdrag te doen. Maar dat Nederland met al die andere landen zou verschillen wat betreft drugsbeleid, is gelul als je naar de maximumstraffen kijkt in onze buurlanden die ook een verdrag met Thailand hebben en hun mensen terughalen.

Acht jaar gevangen zitten en dan nog steeds niks weten, dat begint me wel te slopen, zowel geestelijk als lichamelijk.

Ik word er echt een beetje gek van. Dat is misschien mijn probleem, dat weet ik wel. Maar er kan best wat aan gedaan worden, zonder dat de Thai daardoor het gevoel hebben dat ze in een slecht daglicht worden geplaatst.

In augustus 2005 komt mijn advocaat, Geert-Jan Knoops, op bezoek. Ik wil dolgraag wat nieuws van hem te horen krijgen, maar reken daar niet op.

En inderdaad, Knoops en zijn Thaise collega, Puttri Kuvanonda, hebben mij niets nieuws te vertellen. Ze hebben nog geen enkele informatie gekregen over de termijn waarop over de cassatie wordt beslist.

Ik laat Knoops en Kuvanonda weten dat ik dat wachten niet lang meer volhoud. Ik word steeds wanhopiger. Moet ik vasthouden aan de cassatie of niet? Moet ik de cassatie laten vallen, dus schuld bekennen, en nu een beroep doen op het verdrag?

Ik lig er nacht na nacht van wakker. En maar piekeren.

Dan hak ik begin september dus de knoop door. Ik houd mijn cassatie vol!

Het lucht me enorm op.

Ik heb op mijn stoel alle voors en tegens zitten te overwegen. Wat is erger, weten wat je definitieve vonnis is, ook al is de straf nog zo lang, of deze onzekerheid? Ik kies voor de onzekerheid. Al is je straf definitief, dan nog is het heel onzeker hoe lang je in werkelijkheid moet zitten. Dat geldt zeker voor gevangenen die Thais onderdaan zijn of die de nationaliteit hebben van een land dat geen verdrag met Thailand heeft gesloten.

In september komt Jules Maaten, VVD-Europarlementariër, ook weer eens op bezoek. Ik vertel hem van de beslissing die ik heb genomen, maar ook dat het me allemaal te lang gaat duren. Ik ben langzamerhand ten einde raad.

Dat gevoel wordt nog sterker als de Thaise regering een schriftelijke verklaring aflegt over mijn cassatie. Die wordt uiterlijk binnen een halfjaar afgehandeld, beloven de Thai half september in een brief aan de Nederlandse regering.

Nog langer wachten, wie weet tot half maart 2006 dus. Zo gecompliceerd is mijn zaak toch niet? Ik ben geen Pablo Escobar! Ik heb het wel gehad.

Ik heb in elk geval nog de tijd om, tot slot, maar eens op een rijtje te zetten wat er allemaal veranderd moet worden in het Thaise rechtssysteem.

Ten eerste moeten de rechtszaken sneller worden behandeld. Je moet niet, zoals mij is overkomen, vijf, zes, zelfs negen jaar wachten voordat je eindelijk een definitief vonnis hebt.

Ten tweede: iemand mag alleen worden veroordeeld als er een bewijs van zijn schuld is geleverd. Dus niet veroordelen op grond van niet meer dan: 'We denken dit, dus we veroordelen iemand maar.'

Ten derde: normale straffen geven. Niet mensen vijftien of twintig jaar binnen de gevangenismuren houden, waarbij het nooit zeker is wanneer ze vrijkomen, omdat daar geen touw aan vast te knopen is.

In Nederland weet een gevangene die tot vijftien jaar is veroordeeld, dat hij na tien jaar, als hij tweederde van zijn straf heeft uitgezeten, vervroegd vrij kan komen. Hij weet waar hij aan toe is. Maar in Thailand weet een gevangene die bijvoorbeeld veertig, vijftig of honderd jaar heeft gekregen, nooit hoe lang hij in werkelijkheid moet zitten hier. Tien jaar? Twaalf jaar, vijfentwintig jaar? Nog langer? Het kan allemaal.

Ten vierde: er moeten in de gevangenis betere voorzieningen komen. Bezoek moet op een sociale manier kunnen verlopen. Dus niet met glas en tralies ertussen, terwijl je maar één of twee keer per jaar anderhalf uur met je familie, je vrouw of man of kinderen, aan een tafeltje mag zitten. Dat is niet genoeg, zeker niet als je zo lang hier moet zitten.

In elk gebouw moeten telefoons worden opgehangen, zodat de gevangenen met hun familie kunnen spreken zonder dat zij het stiekem moeten doen, met clandestiene mobiele telefoons, en de kans lopen gestraft te worden. Als de gevangenisleiding de gesprekken wil afluisteren, dan kan dat toch!

En schoon water. Dáár moeten ze eens geld voor uittrekken.

Ten vijfde: in de gevangenis moeten opleidingen komen. Nu is geen opleiding mogelijk, althans bijna niet. Het is veel beter de mensen een vak te laten leren voordat ze terugkeren in de maatschappij.

En ik hoop dat ik met mijn boek een beetje een ander beeld kan geven van wat er in de Thaise gevangenis allemaal gebeurt.

Dat ik het hier desondanks volhoud, heb ik vooral te danken aan al die mensen die mij steunen of mij hun vriendschap hebben gegeven. Ik wil ze allemaal bedanken.

Ik bedank vooral mijn advocaat, Geert-Jan Knoops, en zijn vrouw, Carry Hamburger. Ik bedank Frits Barend en Henk van Dorp en de redactie van hun televisieprogramma. Ik bedank Charles Sanders van *De Telegraaf* en Bert Steinmetz van *Het Parool*.

Ik bedank ook mijn oude schoolvriend Krijn, met wie ik na een kleine twintig jaar weer contact heb gekregen.

Ik bedank alle mensen die mij bezocht hebben, de bemanningen van de KLM onder meer.

Maar boven alles bedank ik mijn familie, mijn moeder en vader die altijd voor mij klaarstaan, mijn broer, mijn dochtertjes Anouk en Simone.

Anouk... Ze was twee jaar toen ik werd gearresteerd. Nu is ze al bijna een puber. Die wil eerdaags naar de disco of de film, ze gaat haar eigen leven inrichten. En Simone, die is alweer tien jaar!

Ik mis ze allemaal. Maar eerdaags is het hopelijk achter de rug.

Nu maar wachten tot het maart is.

17. Eindelijk vrij!

Maart 2006 is nog amper begonnen, of Pita Kuijt moet al meteen weer een woedeaanval zien te onderdrukken. Van de *Parool*-journalist Bert Steinmetz verneemt zij dat het Thaise Opperste Gerechtshof eind februari uitspraak heeft gedaan in de cassatiezaak van Machiel. De verslaggever heeft die informatie, toen hij daarnaar vroeg, gekregen van een woordvoerder van Buitenlandse Zaken. Maar het ministerie heeft op dat moment Machiels moeder nog niet op de hoogte gesteld.

Wel krijgt zij – na het gesprek met de journalist – een telefoontje van het ministerie: of zij de brief nog niet ontvangen heeft. 'Welke brief?' vraagt Pita Kuijt verontwaardigd. Zij wordt altijd direct telefonisch over belangrijke ontwikkelingen in de zaak van haar zoon geïnformeerd.

Ditmaal heeft de directie consulaire zaken van Buitenlandse Zaken besloten haar per brief op de hoogte te stellen. Die valt echter pas dagen later bij haar in de bus. Dat kan Pita er niet ook nog eens bij hebben.

Machiels advocaten, Geert-Jan Knoops en Carry Hamburger, ondernemen direct stappen. Er komt een intensief verkeer tot stand per fax, telefoon en e-mail met het ministerie, met de Thaise collega-advocaat Puttri Kuvanonda en met Pieter Marres, de Nederlandse ambassadeur in Bangkok. Daaruit blijkt dat de rechters van de Sarn Dika hun besluit hebben geformuleerd en vervolgens in een verzegelde envelop hebben doorgestuurd naar de rechtbank waar de zaak-Kuijt voor de eerste maal is behandeld, de Rechtbank

Bangkok-Zuid. De rechters daar moeten vervolgens een datum vaststellen waarop zij de uitspraak in cassatie bekendmaken aan Machiel. Zo verloopt de Thaise gerechtelijke procedure nu eenmaal.

Het duurt wel angstig lang, maar vrijdag 24 maart komt dan het verlossende bericht voor Pita Kuijt: maandagochtend 27 maart maakt de Rechtbank Bangkok-Zuid het definitieve vonnis van Machiel bekend. Ditmaal wordt zij wel netjes meteen telefonisch op de hoogte gesteld, maar dat neemt niet weg dat de termijn veel te kort is om zelf nog naar Bangkok te vliegen. Dan zou zij zaterdag al weg moeten, maar hoe kan zo snel alles geregeld worden? De twee meisjes moeten worden opgevangen, het huishouden moet doordraaien, en er moeten ook nog een vliegticket en hotelaccommodatie worden besproken.

Pita Kuijt neemt de moeilijke beslissing thuis de uitspraak af te wachten. Ook Geert-Jan Knoops kan er niet naar toe. Hij moet eind maart aanwezig zijn bij het vn-tribunaal in Sierra Leone. Zijn vrouw en kantoorgenote Carry Hamburger wil wel in zijn plaats naar Bangkok vliegen, maar ook dat verhindert het lot: zij maakt nog diezelfde vrijdag zo'n ernstige val, dat zij in het ziekenhuis moet worden opgenomen. Zodoende is alleen Machiels Thaise advocaat, Puttri Kuvanonda, beschikbaar om hem bij te staan tijdens de beslissende uitspraak.

Het is een maandag zoals zovele in Bangkok. De temperatuur is hoog en de stad broeit; er wordt massaal gedemonstreerd tegen premier Thaksin Shinawatra, uit protest tegen kapitale zelfverrijking bij de verkoop van zijn telecombedrijf.

In Nederland is het nog nacht, maar Pita Kuijt heeft de slaap niet kunnen vatten. Welk bericht zal zij straks krijgen?

In de Bangkwanggevangenis, aan de andere kant van de aardbol, zit haar zoon Machiel dan al aan de koffie. Hij vertelt over die dag, en de dagen erna.

De cel is die ochtend al vroeg opengedaan, kort na half zeven. Ik ga met Jo, mijn Thaise celgenoot, naar het plekje waar wij altijd 's morgens koffie maken. Wortel, de derde van ons gezelschap, is er niet meer bij; hij is zo'n tweeëneenhalve maand geleden overgeplaatst naar gebouw 6.

Ik drink mijn kopje leeg, trek mijn sportschoenen aan en zeg tegen Jo: 'Ik ga hardlopen. Jij zal zo wel worden geroepen om naar de rechtbank te gaan.' Want Jo verwacht ook elk moment een uitspraak van de rechter.

Net ben ik klaar met een rondje rennen, als allebei onze namen omgeroepen worden. Hoor ik dat nou goed? Maar ja hoor, we moeten beiden naar de rechtbank! Geen sport dus verder meer, die ochtend.

Ik ga me snel wassen en trek de kleren aan voor de gang naar de rechtbank: een korte broek en een T-shirt. Dan krijg ik de kettingen om mijn benen en handboeien om voordat ik de bus in kan, naar de rechtszaal toe.

Het gerammel van de kettingen in de stenen gang van het gerechtsgebouw kondigt onze komst al aan. We lopen met de drie beschuldigden in deze zaak naast elkaar: Samarn, de neef van mijn ex-vriendin Linda, Robert, de Australiër die ervan wordt verdacht dat hij de organisator is van de drugshandel, en ikzelf. Er had nog een vierde bij moeten zijn: Marco Valeri, de Italiaan die tegelijk met mij is gearresteerd. Toen wij beiden bij het vonnis van de eerste rechtbank zijn vrijgesproken, is hij direct op vrije voeten gesteld. Marco vertrekt dan – logisch – meteen naar Italië. Omdat hij in hoger beroep bij verstek wél is veroordeeld, net als ik, moet voor de behandeling van deze cassatiezaak eerst een arrestatiebevel tegen hem worden uitgevaardigd. Een zinloze operatie, uiteraard. Valeri ontbreekt ook deze ochtend.

In de kamer waar de rechter de uitspraak bekend zal maken, is het inschikken geblazen. Aan één zijkant zitten de advocaten, onder wie Puttri Kuvanonda. Aan de andere kant ambassadeur Pieter Marres en zijn medewerker Jules van de Rest. In het midden mogen de twee Nederlandse journalisten die mijn zaak volgen, Charles Sanders van *De Telegraaf* en Bert Steinmetz van *Het Parool*, aanschuiven op dezelfde bank waar wij zitten. Daar komt even later ook Linda nog bij.

De hele procedure verloopt niet bepaald stijlvol. Er lopen steeds mensen in en uit, twee bewakers laten elkaar grinnikend sms-boodschappen op hun mobiele telefoon zien. Een derde bewaker knikkebolt in slaap. Maar je benen over elkaar slaan, dat mag niet. En als de rechter binnenkomt, moet iedereen wel opstaan. Hij kan de verzegelde envelop waarin de uitspraak zit eerst niet openkrijgen en laat een secretaresse een stanleymes halen.

Dan begint hij het vonnis van de Sarn Dika voor te lezen in het Thais. Net zoals de vorige keer, hoor ik eerst alle negatieve verklaringen passeren. Als de rechter vervolgens voorleest dat de heroïne is gevonden 'bij verdachten 1 en 4', dat zijn Samarn en Linda, dan denk ik: 'Ja, daar gaat het weer. Eerst komt alle onzin, en daarna blijkt dat er geen enkel belastend feit of bewijs tegen mij is. Dus ik krijg vrijspraak!'

Maar al gauw wordt duidelijk dat het zo niet uitpakt. Ik blijf tot levenslang veroordeeld, evenals (bij verstek) Marco Valeri. Linda en Samarn houden hun straf van 33 jaar. Alleen Robert, de Australiër, komt tot ieders verbazing vrij. Maar hij wordt wel meteen uitgeleverd aan Italië, waar hij ook voor de rechter moet verschijnen.

Ik ben natuurlijk teleurgesteld over deze uitspraak, die toch opnieuw een dreun is. Ik voel frustratie, omdat ik er niets aan kan doen en de mensen van wie ik houd, nu te horen krijgen dat ik niet ben vrijgesproken.

Als ik naar mijn zaak kijk, had ik natuurlijk vrijspraak moeten krijgen. Maar ja, het kan in Thailand net zo gemakkelijk de ene als de andere kant op gaan. Het helpt me echter niet om nu te gaan jammeren of om in te storten. Dat brengt me geen stap dichter bij huis. Het is zoals het is. Het leven gaat door.

En ik voel ook iets van opluchting, toch. Ik heb eindelijk zekerheid, ik weet nu tenminste waar ik aan toe ben. Want ik werd gek van die onzekerheid. In totaal ben ik meer dan twintig keer naar deze rechtbank geweest, en nu hoef ik er dan echt niet meer naar toe. Mijn vonnis is definitief. Nu kan ik dus eindelijk ook een beroep doen op het verdrag waardoor ik naar Nederland kan worden overgebracht. Terug naar mijn kinderen! Daar ga ik me nu helemaal op concentreren.

Meteen na de uitspraak moeten we weer naar beneden om in een hok te wachten op de bus terug naar de gevangenis. Maar van Edwin, een andere Nederlander die naar dezelfde rechtbank is gebracht, hoor ik dat er maar één bus teruggaat, om vijf uur 's middags. Het is dan pas kwart over tien 's morgens. Moet ik hier nu tot vijf uur wachten? Aan de andere kant vind ik het ook wel goed zo laat terug te komen. Dan is iedereen al in de cellen en komen ze niet allemaal op me af met vragen: 'Hoe was het?' En ik dan moeten antwoorden: 'Klote!' Terwijl het de meesten geen bal interesseert. Dat is misschien ook wel logisch, maar kom dan niet met vragen als: 'Heb je gewonnen of verloren?' Er zijn nu eenmaal mensen die daar al hun tijd mee doorbrengen.

De tijd beneden in het gerechtsgebouw zit ik met die Edwin over van alles te kletsen, en zo gaat de tijd toch nog snel. Ik kan het wel goed vinden met hem.

De volgende ochtend word ik wakker en denk: 'Jezus, het is echt.' Ik weet het wel natuurlijk, maar ik heb het er toch even moeilijk mee. Ik heb die nacht ook niet echt goed geslapen. Snel daarna ben ik naar buiten gegaan, koffiedrinken met Jo.

Charles Sanders en Bert Steinmetz komen mij 's morgens opzoeken. Ze zijn de dag tevoren voor niets naar Bangkwang getogen; daar hoorden ze dat onze bus ons pas eind van de middag van de rechtbank terug zou brengen.

Ambassadeur Pieter Marres komt 's middags op bezoek. Hij bespreekt met mij alles over de papieren die naar Nederland gezonden moeten worden, zodat ze daar alles voor het verzoek tot overbrenging in orde kunnen maken, om vervolgens de hele papierwinkel terug naar Thailand te sturen. Dan kan de adviescommissie van dertien leden bij elkaar komen om te beslissen over mijn overplaatsing naar Nederland.

Het duurt twee weken voor die eerste papieren klaar zijn om naar Nederland gestuurd te worden, want alles moet eerst vertaald worden. Maar ik ben blij dat er nu al meteen vaart achter wordt gezet. Met een beetje hulp kunnen die papieren binnen drie of vier maanden terug zijn en in die vergadering van de Thaise adviescommissie worden besproken. Ik hoop maar één ding: dat de Nederlandse staat echt opschiet met mij terug te halen!

Zou ik dan toch nog voor de kerst terug zijn in Nederland? Ook al kom ik dan nog niet meteen vrij, ik ben daar wel thuis. Ik hoop het zo!

De tijd gaat hier natuurlijk niet snel, als je alleen maar moet wachten. En ik wacht nu al negen jaar! Op het laatst vallen die jaren erg zwaar. Zeker na een jaar of vijf, zes gebeurt er nog maar zo weinig, en dat maakt het moeilijk. Maar straks is dat achter de rug en begint het volgende traject. Dat gaat hopelijk beter. Al kan ik het me nog niet voorstellen wat dat zal zijn, in een vliegtuig te stappen op weg naar Nederland. Een droom! En wat er dan in Nederland gaat gebeuren, dat zie ik nog wel. Eerst maar terug.

Ik voel me nu wat sterker. De laatste tijd was ik een beetje mat, gewoon niet honderd procent, denk ik. Ik heb mijn haar ook weer korter laten knippen, want ik krijg er last van nu het veel te heet is hier. Ik vind dat ik ook weer wat jonger lijk. Hoewel, toen ik onlangs naar Lardyao ben geweest voor een bezoek aan de tandarts, zeiden sommigen die ik nog ken van mijn verblijf daar: 'Michael, nah khee!' (Oftewel: je hebt een oude kop gekregen). Een paar van hen waren blueshirts, dus dan weet je wel met wat voor ondertoon ze zoiets zeggen.

Nu moet ik me eerst voorbereiden op alle feestelijkheden hier. Het Thaise Nieuwjaar is altijd lekker gezellig, een hele reeks feestdagen. En dan de wereldkampioenschappen voetballen. Dat worden voor mij al de derde WK in gevangenschap. Ook ik zit in een oranje shirt te kijken naar onze jongens. Maar eerst doet een ander televisieprogramma mijn mond openvallen van verbazing. Je gelooft het niet!

Ik word laat wakker, zo rond half acht, en kijk dan even naar een Thaise tv-zender die een soort reisprogramma uitzendt. Laten ze nu in Amsterdam zijn! Eerst filmen ze op het Waterlooplein, dan zijn ze op het Museumplein. Ten slotte gaan ze over de Albert Cuyp. Je raadt het al: ik zie mijn vader zitten achter zijn kraam! Ik moet lachen en groet hem: 'Hé, pap!' Het is volgens mij de vorige winter opgenomen; er is een ijsbaan op het Museumplein en er staat een poffertjeskraam.

Hier is het gelukkig niet meer zo erg heet; het regent de

laatste tijd bijna elke dag keihard. Een of twee dagen regen vind ik nog prima, maar geef mij dan maar weer de zon. Ach, zo heb ik altijd wat te klagen. In Nederland schijnt de zon natuurlijk helemaal niet het hele jaar en regent het veel, maar o wat verlang ik daarnaar. Tjonge, wat mis ik Mokum. Ik mis Nederland, zelfs al is het er ijskoud. Maar eerdaags ben ik er weer. Ik hoop dat het allemaal een beetje soepel en snel kan gaan, alsjeblieft.

Ik merk tot mijn schrik dat ik inmiddels al tel in het Thais. En als ik vloek – meestal voor de gein – gaat dat ook in het Thais. Ik ben al half Thai! Half Thai? Halfgaar, zal ik bedoelen, van al het wachten, wachten, wachten. Er valt niets anders te doen dan dat. Ik word er ziek van! Het enige wat ik te horen krijg, is: we zien wel. Nou, het zal mij benieuwen. Ik baal, ik heb het af en toe gewoon helemaal gehad hier! Maar dan probeer ik dat gevoel van me af te zetten. Ik denk dan: je kunt het toch niet sneller laten gaan, dus laat je niet gek maken. Al is dat gemakkelijker gezegd dan gedaan.

Bij zijn zestigjarig jubileum, op 9 juni 2006, heeft koning Bhumibol een groot aantal gevangenen gratie gegeven, dat betekent: strafvermindering. Dan blijkt weer dat je hier beter iemand kunt vermoorden, dan zitten voor een drugsdelict; dat scheelt een boel.

Voor gedetineerden met levenslang is de straf omgezet in veertig jaar, en mensen met minder dan levenslang krijgen een strafvermindering van een derde. Tenminste, als het niet om een drugszaak gaat. Ze ontvangen deze koninklijke gratie in alle gevallen, zelfs wanneer ze een dag vóór 9 juni definitief zijn veroordeeld. Maar als het wél om een drugsdelict gaat, dan moeten ze al minstens twee jaar geleden hun definitieve veroordeling hebben gekregen. Pas dan kan levenslang worden omgezet in veertig jaar; voor de anderen geldt dan een strafvermindering met een zesde.

Een derde of een zesde van je straf af, dat maakt natuurlijk een heel verschil, zeker als het om straffen gaat van veertig of vijftig jaar. Als je niet voor drugs bent veroordeeld, kom je bovendien gemiddeld eens in de drie jaar al in aanmerking voor een strafvermindering. Voor veroordeelden wegens een drugsdelict was in 1996 de laatste strafvermindering met een vijfde. In 2004 volgde nog een strafvermindering met een zesde, maar dan moest je wel al acht jaar tevoren definitief veroordeeld zijn.

Al die gevangenen die niet uit een land komen dat een verdrag met Thailand heeft gesloten en steun verleent bij individuele gratieverzoeken bij de koning, zijn uitsluitend op dit soort algemene koninklijke gratieverleningen aangewezen om tot enige verkorting van hun straf te komen. Voor hen is het einde van het verblijf in de gevangenis dus wel heel erg ver weg. Daar moet ik maar niet te veel bij nadenken.

Ik zit hier nu meer dan negen jaar, en als ik om me heen kijk, heb ik nog steeds het gevoel dat ik een groentje ben, vergeleken met vele anderen. En negen of tien jaar, dat is voor mijn gevoel toch echt heel lang. Dan ben je geen groentje meer, maar eerder een stuk meubilair geworden.

Om me heen zitten nog meer mensen te wachten op behandeling van hun verzoek om via een verdrag naar huis te kunnen. Ik moet dan soms denken aan Josef, vroeger mijn celgenoot uit Israël, die bij dat wachten op zijn overbrenging soms helemaal in tranen was. Zijn vader was net ervoor overleden, zijn moeder al een paar jaar eerder. Maar ik heb het soms zelf ook dat mijn gedachten afdwalen. Dan probeer ik mij voor te stellen hoe ik straks in een andere situatie verkeer. Het is dat gevoel van vrijheid dat je, denk ik, als langgestrafte zo nodig hebt.

Er valt in de cel weinig te lachen, al probeer ik altijd positief te zijn en mijn gevoel voor humor te behouden. Dat lukt het best overdag, als ik vrij (nou ja!) kan rondlopen in het gebouw en kan sporten. Er valt niet zoveel te beleven, maar altijd nog meer dan in de cel.

Als ik even naar het postkantoor in Bangkwang ga, kom ik ook mannen tegen uit andere gebouwen. Zo zie ik daar een Canadees uit gebouw 6, die ook levenslang heeft gekregen. Hij vraagt mij: 'Michael, wanneer ga je terug?'

Ik antwoord: 'Ik wacht tot de papieren uit Nederland terugkomen. Het is nu al drie maanden geleden dat ik ook in cassatie mijn rechtszaak heb verloren.'

'Wel,' zegt hij, 'Canada haalt zijn landgenoten heel snel terug.' Die man zit nog geen acht jaar, dus hij moet nog wachten voordat hij zijn verzoek kan indienen om naar zijn land te worden overgebracht.

Eind juli krijg ik nog bezoek van Boris Dittrich, die wordt vergezeld door ambassadeur Pieter Marres. Dittrich vertelt hoe hij heeft bemiddeld bij minister Piet Hein Donner van Justitie om het verzoek voor mijn overbrenging zo snel mogelijk naar Thailand te versturen.

Een paar dagen eerder heb ik 's morgens en 's middags 'close contact', open bezoek, wat twee keer per jaar kan. Dan zit je eindelijk eens samen aan een tafeltje zonder tralies ertussen.

Dat gebeurt in een kooi die tevens als postkantoor dient. Zo'n acht maanden geleden zijn van elk gebouw twee buitenlanders afgevaardigd om bij de directeur voor elkaar te krijgen dat wij, net als de Thai, ons contactbezoek ook in gebouw 14 kunnen hebben. Daar heb je meer privacy en kun je lekker op het gras zitten. Dat is natuurlijk veel beter.

Maar nee, wij moeten in die kooi annex postkantoor blijven voor ons contactbezoek. Als reden wordt gegeven dat de buitenlanders de gewoonte hebben elkaar te willen kussen; de Thai doen dat niet. Wel is het bezoek nu tweemaal per jaar een ochtend én een middag; dat was 's morgens óf 's middags.

Ik zit er nog niet eens met mijn vriendin Simone, ik noem haar *Maatje 36*, of het gedonder begint al. Je mag elkaar geen zoen geven of even vasthouden. Dat is nogal moeilijk, natuurlijk. Binnen de kortste keren komt een bewaker er steeds bijstaan, alsof ik een schooljongen ben: 'Hé hé, nog één keer en dan is het afgelopen!' Zoiets bederft wat je noemt wel de sfeer. Je bent toch al zenuwachtig als je eindelijk eens normaal bij elkaar kunt zitten.

Simone heb ik leren kennen als iemand die regelmatig Nederlandse gevangenen bezoekt. Maar in een paar jaar is zij meer voor mij geworden dan zomaar een bezoekster, meer ook dan zomaar een vriendin. En dan heeft zij ook nog dezelfde naam als mijn jongste dochter.

Het bezoek 's morgens is officieel van negen tot twaalf, maar het begint pas om half tien en om elf uur is het al afgelopen. En 's middags gaat het bezoek niet door. Ze geven buiten aan Simone als verklaring: omdat wij, die buitenlanders, ons hebben misdragen. Bij gods gratie mag ze wel op normaal bezoek komen – dus met glas en tralies ertussen, en het gesprek via telefoons.

Echt, mijn bloed kookt als dit soort zieke bewakers je het licht in de ogen niet gunnen en zo'n bezoek voor je vergallen. Je kunt er niets tegen doen. Ze steunen elkaar altijd, dus klagen heeft geen zin. Je hebt het maar te slikken. Ik ben dat slikken echt meer dan zat. Natuurlijk zijn er ook bewakers die redelijk zijn, maar als dit gebeurt, ben ik woest. Maar vervolgens denk ik: wat kan mij het ook schelen. Dus lach ik er maar weer om. Wat dat betreft word je wel besmet door dit 'Land van de Glimlach'.

Ik hoop zo dat ik het eerdaags achter me kan laten, dat ik hier snel weg kan. Ik ga nu al naar de tien jaar toe.

Begin augustus komt Maatje 36 weer een ochtend en een middag op bezoek. Dat is heerlijk. Ik heb een week eerder de gegevens voor haar bezoek aan de ambassade doorgegeven. Daar hebben ze de datum wel naar de gevangenis gefaxt, maar ze hebben *juli* als maand ingevuld in plaats van *augustus*. Gelukkig is het op woensdag, net als maandag een normale bezoekdag voor mijn Gebouw 2. Dus de bewaker belt naar Jules van de Rest op de ambassade om de datum te laten veranderen, maar die zit in een vergadering. Tussen de middag belt de bewaker opnieuw, en uiteindelijk komt alles toch nog goed. Maar je hoeft niet te denken dat je dan even te horen krijgt: 'Sorry, was een fout van mij.' Als Simone hier op een andere dag had gestaan dan de vaste bezoekdag, was ze er gewoon niet in gekomen zonder goede papieren van de ambassade.

Ja, dan ga ik van binnen weer koken, dan denk ik: 'Waar zijn jouw goede manieren eigenlijk?' Wat dat betreft maakt de ambassadeur zelf, Pieter Marres, een tien keer betere en menselijkere indruk.

Goed, we hebben dus toch nog een contactbezoek, maar dan staat er zo'n lastpak naast je en worden we gewaarschuwd: 'Rustig aan hè, jullie, anders is het meteen over!' En we doen echt niets bijzonders.

Het kán ook anders, moet ik zeggen. In september krijg ik op een dag Yvonne op bezoek, een vriendin van Simone, die hier voor een paar dagen is. Maar die ochtend hoor ik dat ik eindelijk naar Lardyao ga voor een behandeling bij de tandarts. Om half negen moet ik al klaar staan, met een ketting aan mijn benen en handboeien om, wachten op de bus.

Kwart over negen komt het bezoek, dus ik vraag de bewaker: 'Kan ik even naar mijn bezoek om te zeggen dat ik naar de tandarts moet?'

'Ja hoor,' antwoordt de bewaker, 'we roepen je wel als we weggaan.'

Zodoende kan ik Yvonne vertellen dat ik over een kwartier geroepen word. Als ze dan even wacht, kan ze me nog zien terwijl ik de poort door kom.

Ze staat net naast de poort de spulletjes af te geven die ze voor mij uit Nederland heeft meegenomen, wat kaas en zo, als ik naar buiten kom. Ik roep haar en ze rent meteen bij de balie weg, pakt me vast en geeft me twee zoenen op mijn wang.

Ik sta daar met een bewaker naast me, maar die is oké. Hij zegt er niets van.

Het duurt maar drie seconden, maar iemand die je kent, met wie je een goede band hebt, zo dicht bij je voelen, dat doet je ontzettend goed. Even geen anderhalve meter afstand met tralies en glas ertussen.

Ik heb nog steeds niets gehoord over mijn verzoek om overplaatsing naar Gebouw 6. In Gebouw 2 zit ik in de 'bejaardencel', waarin je wel meer ruimte hebt dan in andere cellen. Maar ik heb het echt gehad hier. Daarom heb ik via de ambassade overplaatsing aangevraagd naar Gebouw 6, waar het wat drukker is. De cel daar zal minder comfortabel zijn, wat ruimte betreft, maar of ik nu dertig centimeter meer of minder ruimte heb tussen mij en mijn buurman, dat interesseert me weinig. Bovendien kom ik dan bij twee goede vrienden van mij in de cel, die ik al jaren ken; een van hen is mijn trouwe maat Wortel uit Singapore. Ik weet zeker dat de anderen in die cel ook allemaal goed met elkaar kunnen omgaan. Ze houden wel van een dolletje, van een beetje praten, ze willen het gezellig maken, op wat voor manier dan ook. Daar heb ik behoefte aan, jongens met wie ik kan dollen, samen eten en drinken.

Hier mis ik dat. Die praat niet met die, een ander zit met problemen. En dan heb ik het nog niet over de keren dat ze ruzie maken of desnoods met elkaar op de vuist gaan. Ja, hier moet ik langzamerhand weg. Televisie kijk ik praktisch niet meer; ik lees nog wel een boek of brieven. Maar behalve dat is er niets dat het bestaan in de cel gewoon een beetje gezellig maakt. Vergeet niet, elke dag zit ik er zestien tot zeventien uur in opgesloten. En steeds maar naar de muur kijken, dat gaat me te veel worden. Ik word hier een beetje gek.

Ja, wat sport betreft heb ik hier echt wel mijn plek. Ik houd mezelf wel bezig, zodat ik het allemaal nog steeds trek. Maar ik ken hier inmiddels alles en iedereen. De cel is schoon, maar supersaai.

Daarom denk ik dat ik de laatste loodjes – en echt, die zijn zwaar – maar eens ergens anders moet doorbrengen. Dan gaat de tijd ook weer wat sneller. En trouwens, alleen al het wachten of ik wel of niet word geroepen voor verhuizing naar het andere gebouw, betekent weer wat afwisseling.

Camera's hebben we sinds juli nu ook hier in de cel; in Gebouw 6 trouwens ook. Zo kunnen de negen bewakers die dan dienst hebben je de hele avond op een monitor bekijken. Laten ze er blij mee zijn! Privacy had je hier toch al niet, en nu nóg minder. Daaraan besteden ze wel geld, maar schoon water zodat de mensen zich hygiënisch kunnen wassen en dergelijke zaken, daar is geen geld voor. Als iemand een bedreiging is voor zichzelf of om een andere dringende reden geobserveerd moet worden, dan kan ik die camera's begrijpen. Maar de tl-lampen zijn ook al permanent aan in de cel, wat natuurlijk niet goed is voor de noodzakelijke nachtrust.

Eentje brandt er boven mijn hoofd; daar ben ik niet blij mee! Maar ik heb een groot badlaken, dat ik 's avonds met haakjes aan de muur boven mijn hoofd vastzet, zodat het schelle licht niet de hele nacht in mijn gezicht schijnt. Dit is mijn tent, mijn plekkie. Ach, het kan altijd erger.

Het enige positieve hier is dat we niet elke dag moord en doodslag meemaken, zoals wel het geval is in andere gevangenissen op de wereld. Ik wacht ook al een halfjaar op een wortelkanaalbehandeling bij de tandarts in de Lardyaogevangenis, waarvoor ik wel al heb betaald. Die ingreep heb ik te danken aan een Amerikaanse tandarts die één keer per week in Bangkwang komt om kiezen te trekken. Hij heeft per ongeluk bij het trekken van een kies mijn kies ernaast half afgebroken.

Maar ook terwijl ik steeds maar niet word opgeroepen voor de tandarts, blijf ik tegen mezelf zeggen: houd je rustig, maak je niet druk. Dat doe ik dan ook niet meer, althans, dat probeer ik. Begin september word ik eindelijk eens opgeroepen om naar de tandarts in Lardyao te gaan; uitgerekend als ik Simones vriendin op bezoek krijg.

Ik kom er meteen heel veel bekenden tegen. Het is of ik op mijn oude nest terugkeer. Daar heb ik toch de meeste tijd van mijn Thaise gevangenschap doorgebracht.

'Hey Michael, kom je terug? Je ziet er goed uit, wel een stuk ouder, haha!' Dat soort opmerkingen krijg je dan.

Maar als ik eenmaal bij de tandarts zit, blijkt dat een wortelkanaalbehandeling niet meer kan. Ik kom er te laat mee. 'Ja,' zeg ik, 'ik heb er een halfjaar geleden al voor betaald, maar als jullie mij niet oproepen, kan ik ook niet komen.'

Goed, dat begrijpt hij wel, en hij belooft dat ze het geld terugsturen. Maar ik heb een ander voorstel: 'Kunnen jullie niet wat andere dingen bij me doen? Ik heb ook een paar gaatjes.'

Dat kan, dus de tandarts vult twee gaatjes; dan is mijn tijd om. De volgende keer kan ik weer komen. Wanneer dat is? 'O, dat weten we nog niet.'

De wortelkanaalbehandeling kost zesduizend baht; twee vullingen kosten vierhonderd baht, dus ik heb nog wat van ze te goed. Ik hoop nu maar dat ze niet te lang wachten met me weer op te roepen, want wat ik hier nog bij de tandarts kan laten doen is veel goedkoper dan in Nederland... Toch hoop ik vooral dat ik nu heel snel weg kan.

Ik zit hier nu drie jaar in Bangkwang, na de zeseneenhalf jaar die ik in Lardyao heb moeten doorbrengen. Maar die laatste jaren zijn zeker geestelijk zwaarder. Ach, als je terugkijkt kun je toch wel zeggen dat de dagen en jaren voorbij zijn gevlogen. Ik kan me nog herinneren hoe ik in 1997 binnenkwam in Bombat. Ik had geen idee van wat me allemaal te wachten stond. En gelukkig maar dat ik het van tevoren niet wist. Kijk, zo kan je er ook mee omgaan.

En nu hoop ik maar op snel goed nieuws.

We gaan een lang weekeind tegemoet. Koningin Sirikit is zaterdag 12 augustus jarig, dus is de maandag een feestdag. Dat zijn we wel gewend, hier in Thailand. In het weekeind moeten we 's middags een halfuur eerder de cel in, maar het lijkt altijd wel of het een paar uur eerder is. Dat moet maandag dus ook.

Mijn moeder maakt me duidelijk dat het misschien toch niet zo'n goed idee is, overplaatsing naar Gebouw 6. Hoe saai het ook is, hier weet ik tenminste waar ik aan toe ben. Daar moet ik hoe dan ook een nieuwe situatie voor mezelf opbouwen, mezelf weer waarmaken in een nieuwe groep. Ik moet ook mijn positie tegenover de bewakers opnieuw bepalen, en weet niet hoe die mij zullen behandelen. Ik denk dat zij gelijk heeft, en besluit mijn verzoek om overplaatsing naar Gebouw 6 in te trekken. Het is, hoop ik vurig, toch nog maar voor een paar maanden. Want weg wil ik hier wel. Ik heb het langzamerhand echt gehad. Maar ja, ik zet dat maar van me af, anders word je maf.

Ha! De papieren voor mijn overbrenging zijn eind juli van Nederland teruggegaan naar Thailand, krijg ik te horen. De ambassade heeft het verzoek ingediend bij de Thaise regering. Nu is het wachten op de bijeenkomst van de adviescommissie, die erover moet oordelen. Eerst dacht ik nog te horen dat die in september bij elkaar komt, maar het wordt november.

Kijk aan, we zijn weer een belangrijke stap verder! Ik hoop echt dat ik nu snel naar Nederland kan terugkeren.

Op 19 september schrik ik enorm als we het nieuws van de staatsgreep in Thailand horen. Het is ineens een hoop geroezemoes in de gangen, overal gaan televisies aan.

Het eerste wat ik denk is: ook dat nog! Zit ik te wachten tot de commissie bijeenkomt die moet oordelen over mijn overdracht, en wat nu weer?

Maar als ik alle berichten mag geloven, zit er binnen een paar weken een waarnemende regering. Alles in het land moet gewoon doordraaien. Ik hoop maar dat dat ook echt gebeurt, want ik word er knap zenuwachtig van.

Intussen zit ik met foto's van mijn dochters voor me. Wat worden ze al groot! Ze zien er goed gezond en gelukkig uit. Mooi!

In Nederland zit Pita Kuijt, Machiels moeder, al net zo gespannen te wachten. Meer nog, waarschijnlijk; ze is af en toe op van de zenuwen. Dat wordt behoorlijk in de hand gewerkt door de handelwijze van de autoriteiten in Den Haag. Al die jaren van Machiels gevangenschap in Bangkok heeft ze in elk geval contact met de verantwoordelijke ambtenaren van het ministerie van Buitenlandse Zaken. Af en toe gaat dat wat korzelig, soms krijgt ze de informatie te laat (zoals over de uitspraak in Machiels cassatiezaak), maar als ze de telefoon pakt, wordt ze wel doorverbonden met een verantwoordelijke ambtenaar. Maar nu de zaak van haar zoon in handen is van het departement van Justitie, is daar geen sprake meer van. Pita Kuijt vertelt van haar ervaringen gedurende de laatste maanden.

Mijn contacten met het ministerie van Justitie verlopen uitgesproken moeizaam. Het kost me in het begin de grootste inspanning en overredingskracht om de man die onze zaak op het departement behandelt, Alexander Koning, te pakken te krijgen.

Meerdere keren heb ik Justitie gebeld, maar geen enkele keer krijg ik de juiste personen aan de lijn. Op een gegeven moment gaat het zelfs zo ver dat ik van de secretaresse van Koning te horen krijg: 'Ik mag u niet met hem doorverbinden.'

Ik voel me als een lastig kind in de hoek gezet. Ze hebben er geen idee van onder welke spanning je zit.

Ze willen bij Justitie gewoon niets met mij te maken hebben. Zo sterk zelfs, dat ze mij meedelen dat het contact van het ministerie voortaan nog uitsluitend loopt met Machiels advocaat. Als ze iets te melden hebben, doen ze dat wel per brief. Ik hoef niet meer te bellen. Toen ben ik er maar mee opgehouden. Het contact met Justitie is helemaal gegaan via Geert-Jan Knoops en Carry Hamburger. En als Carry dan een afspraak wil maken om een aantal praktische zaken voor de overdracht te bespreken, laten ze bij Justitie duidelijk merken dat ze het maar niets vinden dat ik daar ook bij ben. Uiteindelijk hebben ze het wel geaccepteerd.

Knoops en Hamburger zijn ook erg verbaasd over deze behandeling. Als ik de Nederlandse ambassade in Bangkok bel, staat ambassadeur Pieter Marres me meteen persoonlijk te woord. En als hij op dat moment niet aanwezig is, belt hij me zelf later terug.

Ik heb gehoord dat ze bij Justitie het ook helemaal niet op prijs stellen dat ik rechtstreeks met Marres bel. En dat Marres daarop heeft gereageerd: 'Of ik contact onderhoud met mevrouw Kuijt, bepaal ik zelf wel.'

Later heb ik begrepen hoe ze bij Justitie aanvankelijk dwars hebben gelegen; ze willen het verzoek om overbrenging van Machiel tegenhouden. De verantwoordelijke afdeling beslist ineens dat hij toch maar via gratie vrij moet zien te komen! Pas na tussenkomst van Boris Dittrich, die dan nog voor D66 in de Tweede Kamer zit, grijpt minister Piet Hein Donner in. Hij veegt het besluit van die afdeling van tafel en geeft opdracht het verzoek om overbrenging toch naar Thailand te sturen. Eind juli gebeurt dat dan eindelijk.

Vreselijk is dat, die lange, slepende onzekerheid. Steeds zit ik maar te piekeren: 'Doet Nederland het nu wel goed, komt er op het laatst niet toch nog een kink in de kabel? Hoeveel maanden zijn we al niet verder, en hoe lang gaat het allemaal nog duren?'

Al die jaren ben ik bang geweest, en nu ben ik nog steeds bang. Dáárom hang ik steeds aan de telefoon bij de autoriteiten. Immers, als ik er niet permanent die druk op had gezet, als de zaak van Machiel ook niet al die publiciteit had gekregen – hoe zou het dan voor hem zijn verlopen?

Elke dag loop ik naar de brievenbus: is de brief er al, met de mededeling dat het verzoek om Machiels overbrenging echt de deur uit is? Eindelijk, begin augustus, krijg ik een telefoontje van Carry Hamburger. De verlossende brief van Justitie is er – niet rechtstreeks aan mij, ook weer via het advocatenkantoor, uiteraard. Het is een enorme opluchting voor mij. Vooral door de verrassende inhoud.

Het komt erop neer dat de Thaise regering ermee akkoord gaat, dat Machiel na zijn terugkeer naar Nederland direct onvoorwaardelijk in vrijheid wordt gesteld. Mooier nieuws kan ik niet krijgen! Ik kan me niet voorstellen dat de Thaise overheid zoiets met Nederland overeen komt, als ze niet werkelijk bereid is Machiel te laten gaan. Ik weet het, ik prent het mezelf in. Dat mag allemaal zo zijn, toch blijf ik bang. Ik moet hem eerst levend en wel voor mijn ogen zien. Dus als mensen tegen mij zeggen: 'Pita, je zult wel heel blij zijn,' moet ik ze teleurstellen. Ik kan nog steeds niet echt blij zijn. Daarvoor is er te veel gebeurd in al die jaren. Volgens de normale regels van recht en logica had Machiel toch ook allang moeten zijn vrijgesproken? Zijn veroordeling tot levenslang, daarvan zeiden de mensen toch ook: dat kan niet gebeuren? Maar het kon wel. Daarom kan ik nog niet blij zijn. Eerst moet nog de speciale commissie in Bangkok over het verzoek oordelen, begin november. En ik weet wel, die commissie heeft al jaren ervaring met hele reeksen verzoeken van andere landen, en heeft nog nooit een overdracht geweigerd. Ik weet dat ambassadeur Marres er zeker van is dat ook dit eerste verzoek uit Nederland positief zal worden beoordeeld. Maar toch, maar toch. Ik wacht met mijn vreugde tot Machiel écht daar weg is.

De procedure voor de overbrenging van Machiel Kuijt naar Nederland via het nieuwe verdrag met Thailand, kost advocaat Geert-Jan Knoops en zijn kantoor veel tijd, veel meer dan hij heeft gedacht. Vooral het ministerie van Justitie houdt hem flink bezig, vertelt hij in zijn relaas over deze laatste periode.

Meteen de dag na de uitspraak in cassatie op 27 maart 2006, gaan wij aan de slag met het vervolg. Ik krijg diezelfde dag persoonlijk telefoon uit Thailand van ambassadeur Pieter Marres. Eerst zeg ik hem: 'Namens de familie Kuijt en Machiel in het bijzonder bedank ik u voor uw persoonlijke aanwezigheid bij de uitspraak en voor uw betrokkenheid bij deze zaak.' We nemen de opties door die er dan nog liggen: gratie, en overbrenging naar Nederland.

Zelfs nadat Machiel Kuijt aan Nederland is overgedragen, houdt de Thaise koning de bevoegdheid hem gratie te verlenen; voor Thailand blijft hij een tot levenslang veroordeelde. Daarom hebben wij na lang en intensief e-mailverkeer met ambassadeur Marres en overleg met het ministerie van Buitenlandse Zaken besloten het individuele gratieverzoek ook in te dienen. Dat gratieverzoek, dat we hebben opgesteld met Pita Kuijt, sturen we naar onze Thaise collega Puttri Kuvanonda. Daarbij voegen wij de brief die de Buitenveldertse Montessorischool in Amsterdam, waar Machiels dochtertjes Anouk en Simone op zitten, op 6 april aan koning Bhumibol heeft gestuurd. Directeur Rob Wolthuis, adjunct-directeur Ingeborg Schoonackers en twee medewerkers vragen daarin namens de kinderen, leerkrachten en ouders van deze school gratie voor de vader van Anouk en Simone.

'Hoewel hun grootouders hen heel goed en liefdevol grootbrengen, missen zij hun vader iedere dag. Het is een grote lege plek in hun leven, die zo snel mogelijk moet worden opgevuld. Voor hun ontwikkeling en geluk is dat absoluut noodzakelijk!' schrijven zij. 'Wij willen ons niet mengen in de discussie over schuldig of onschuldig; wel richten wij ons tot u met een dringend beroep op uw barmhartigheid jegens Machiel Kuijt en zijn twee dochters.'

Als tweede bijlage doen wij een brief erbij van de huisarts over de familieomstandigheden. Het feit dat hun vader niet aanwezig is, wordt steeds prangender voor de kinderen. Wij vragen met name om gratie in verband met persoonlijke en familieomstandigheden.

Volgens ambassadeur Marres laat de koning een gratieverzoek altijd een ronde overslaan als het een drugsdelict betreft. Daarom hebben we er al rekening mee houden dat Machiel niet aan de beurt komt als koning Bhumibol op 9 juni 2006 zijn zestigjarig ambtsjubileum viert. Hij moet wachten tot een volgende gelegenheid voor een ronde koninklijke gratieverleningen. Dat kan zijn verjaardag zijn; op 5 december 2006 wordt Bhumibol 79 jaar.

Wij dienen dit gratieverzoek dan ook niet in omdat wij daar nu alle hoop op vestigen, doch louter om alle wegen te bewandelen die er zijn om Machiels veroordeling teniet te doen. Maar allereerst gaat het nu om overbrenging volgens het verdrag.

Uit het gesprek met Marres blijkt dat de ambassade en het ministerie van Buitenlandse Zaken alles op alles zullen zetten om de hele procedure voor overbrenging die het verdrag voorschrijft, zo snel mogelijk te laten verlopen. Marres belooft dat het vereiste dossier binnen drie weken per koerier uit Thailand bij Buitenlandse Zaken wordt gebracht. En hij maakt dat waar. Alle uitspraken van de rechters in Bangkok zijn dan bovendien uit het Thais in het Nederlands vertaald.

Van Buitenlandse Zaken wordt het dossier naar het ministerie van Justitie gestuurd. De week daarop ligt het al bij het gerechtshof in Arnhem, waar een speciale kamer de kwesties bij deze verdragen behandelt. Ik bel met een contact dat wij hebben bij dat hof; dat boor ik natuurlijk ook aan. Op 1 mei sturen wij een brief aan griffier M. Wien van de kamer van het gerechtshof die over Machiels zaak advies uitbrengt aan de minister van Justitie. Daarin zetten wij met bijlagen de hele procesgang uiteen. Wij voegen daar ook die brief van de Buitenveldertse Montessorischool aan koning

Bhumibol bij, zodat ze die ook bij het gerechtshof onder ogen krijgen.

Van mevrouw O. Yildiz, die de zaken van dit verdrag op het ministerie van Justitie behandelt, vernemen wij dat het hof op 12 mei een positief advies geeft voor de overbrenging, waarbij de in Thailand opgelegde straf wordt omgezet in een gevangenisstraf van twaalf jaar. Dat is het maximum in Nederland voor drugsmisdrijven. Dat maximum roept zorgen en vragen op, waarover wij ook met mevrouw Yildiz corresponderen. Het hof voegt er namelijk aan toe dat de Nederlandse regeling van vervroegde invrijheidstelling van toepassing moet zijn.

Als Machiel hoort van het strafvoorstel, stuurt hij meteen een brandbrief om zijn moeder duidelijk te maken hoe bezorgd hij daarover is: 'In Nederland betekent twaalf jaar min een derde een straf van acht jaar. Dan kom ik dus meteen vrij. Maar accepteert Thailand dat wel?'

Het ministerie van Justitie moet vervolgens het formele verzoek aan Thailand doen om de overdracht. Daarbij is het inderdaad de hamvraag of de Thaise regering de bereidheid heeft deze strafzaak over te dragen aan Nederland, in de wetenschap dat Machiel dan min of meer direct zal vrijkomen. Het probleem is dat vervroegde invrijheidstelling in Nederland een automatisme is. Dus vraag ik mevrouw Yildiz die strafmaat van twaalf jaar zo voorzichtig te formuleren, dat het voor de Thai niet evident is dat Machiel hier dan meteen vrijkomt. Het is zaak een en ander in de omschrijving minder zwart-wit naar voren te brengen. Dit wordt voor Justitie een testcase, dat staat voor mij al vast.

Nederland heeft de procedure tot nu toe zeer voortvarend afgewikkeld, in het bijzonder het gerechtshof in Arnhem. De raadsheren kennen de zaak natuurlijk en weten ook wel dat hier de toekomst van dit nieuwe verdrag op het spel staat.

Bij het ministerie van Justitie, althans de afdeling Internationale Rechtshulp in Strafzaken, blijkt men echter met de kwestie in zijn maag te zitten. Het met Thailand gesloten verdrag is niet voor niets pas na veel moeizame onderhandelingen tot stand gekomen, juist vanwege de grote verschillen in strafmaat. De Thaise autoriteiten bedongen toen dat een gevangene die naar Nederland wordt overgebracht, niet meteen bij aankomst op vrije voeten wordt gesteld. Het beeld van een jubelende gedetineerde op Schiphol moet hoe dan ook worden voorkomen. Aan de andere kant zeggen de Thai in het verdrag ook de Nederlandse rechtsregels wel te respecteren. En die regels houden nu eenmaal in dat een gevangene in beginsel na twee derde van de opgelegde straf vervroegd in vrijheid wordt gesteld.

De ambtenaren van de afdeling bij Justitie besluiten dat, in het licht van het verdrag, een dergelijk verzoek niet aan de Thaise regering gedaan kan worden. 'Voorkomen dient immers te worden dat een onmiddellijke invrijheidstelling nadelige gevolgen zal hebben voor de resterende gedetineerde Nederlanders in Thailand,' geeft Alexander Koning, het hoofd van de afdeling, als argument. De ambtenaren van Justitie laten weten dat in het geval van Kuijt de weg van het gratieverzoek bewandeld moet worden.

Er volgen weken van uitvoerig telefonisch overleg, voornamelijk tussen Carry Hamburger namens ons kantoor en de ambtenaren Robbert de Groot van Justitie en Pieter Weber van Buitenlandse Zaken. Maar dat haalt deze kwestie niet uit de impasse. De ambtenaren blijven bij hun advies niet verder te gaan met het verzoek om overbrenging van Machiel, maar een volgende gratieronde voor hem af te wachten. Daarom bespreekt Carry Hamburger met hen de mogelijkheid een kort geding tegen de staat aan te spannen, om de rechter over deze controverse een uitspraak te vragen.

Wij willen dat het verzoek toch naar de Thaise autoriteiten wordt gestuurd, ook al staat nu al vast dat in Nederland een derde van de maximumstraf af gaat. Daar komt bij dat Machiel bereid is van die vervroegde invrijheidstelling af te zien.

Gelukkig blijkt het kort geding niet nodig.

Bij een ontmoeting met Boris Dittrich breng ik de impasse onder zijn aandacht. Hij neemt na afloop van een debat in de Tweede Kamer Piet Hein Donner, dan nog minister van Justitie, even apart om hem op deze zaak te wijzen. De minister blijkt van niets te weten, en laat zich op het departement onmiddellijk op de hoogte stellen. Donner keurt het besluit van zijn afdeling Internationale Rechtshulp in Strafzaken af, en geeft opdracht het oordeel van het Arnhemse hof wél aan de Thaise regering voor te leggen. Zo wordt het strafmaximum in Nederland ook voor Thailand een testcase.

En zie, de regering in Bangkok laat begin juni weten dat zij geen bezwaar heeft tegen een voorwaardelijke invrijheidstelling van Kuijt na zijn overbrenging. De rechtsregels in Nederland staan echter uitsluitend een vervroegde ónvoorwaardelijke invrijheidstelling toe, dus aan de Thaise autoriteiten wordt vervolgens gevraagd of die voorwaardelijke vrijlating een harde eis is.

Eind juni komt dan het verlossende antwoord. De Thaise regering gaat uiteindelijk akkoord met een onmiddellijke vervroegde invrijheidstelling van Machiel Kuijt, ook als die onvoorwaardelijk is.

Op 25 juli overhandigt ambassadeur Pieter Marres het verzoek om overbrenging, in het Thais vertaald, aan het Thaise ministerie van Buitenlandse Zaken. Nu ligt de zaak helemaal in de handen van de dertien leden tellende commissie van de Thaise overheid, die over de overbrenging beslist.

Dan lukt het niet meer om het verzoek op de agenda te

krijgen van de zitting die deze commissie eind augustus belegt. Ambassadeur Pieter Marres doet nog een poging, maar het is dan al te laat. De eerstvolgende bijeenkomst van deze commissie van deskundigen staat geagendeerd voor begin november.

Die gaat op het laatste moment echter niet door; een van de dertien leden zou verhinderd zijn. Als nieuwe vergaderdatum wordt 15 december vastgelegd. Daarmee gaat helaas opnieuw een maand verloren.

Machiel kan niet voor het eind van het jaar thuis zijn. Voor hem en zijn ouders breekt nog een keer een zware kersttijd aan. Hun geduld wordt nu hopelijk voor de allerlaatste keer op de proef gesteld.

Op vrijdag 15 december zijn Carry Hamburger en ik in New York in verband met een van onze internationale strafzaken. Die ochtend worden wij gebeld door Pieter Weber van het ministerie van Buitenlandse zaken; het is dan al middag in Nederland. Pita Kuijt is dan al door het ministerie ingelicht over het positieve besluit van de commissie in Thailand.

Weber legt uit dat er weliswaar bezwaren bestaan bij enkele leden van de commissie, maar dat men uiteindelijk het verzoek van Machiel om overbrenging naar Nederland heeft goedgekeurd.

Deze bezwaren houden verband – dit hadden we al verwacht – met het feit dat de maximumstraf in Nederland voor drugsdelicten twaalf jaar is, wat met de automatische vervroegde invrijheidstelling neerkomt op acht jaar. Machiel moet dus na de overdracht in Nederland direct op vrije voeten worden gesteld.

De commissie heeft, zo vertelt Pieter Weber, wel als voorwaarde aan Nederland gesteld dat onze autoriteiten in een vergelijkbaar geval ook een Thaise onderdaan vanuit Nederland naar Thailand zullen laten terugkeren. Het ministerie van Justitie moet deze voorwaarde nog beoordelen, maar eerst wordt de schriftelijke bevestiging van het besluit van de commissie afgewacht.

Een probleem rest dan nog. De Thai zijn buitengewoon gevoelig voor gezichtsverlies, en de vrijlating van Machiel Kuijt direct na terugkeer, terwijl hij in Thailand toch tot levenslang is veroordeeld, zou zo kunnen worden opgevat. Daarom heeft het ministerie van Justitie toegezegd dat 'de Nederlandse autoriteiten geen publiciteit zullen zoeken op het moment dat de overbrenging van Machiel Kuijt gerealiseerd wordt'. Van Machiel zelf en zijn familie wordt ook terughoudendheid gevraagd.

Carry Hamburger heeft eerder met Robbert de Groot van het ministerie van Justitie de zorgen besproken die daar leven over de publiciteit na de vrijlating. Dat gebeurt in het bijzonder ook om volgende overbrengingsverzoeken in de toekomst veilig te stellen.

Daarom heeft zij De Groot voorgesteld dat Machiel bij terugkeer aan de Nederlandse marechaussee wordt overgedragen en via een rustige weg naar huis wordt gebracht. Maar tegelijkertijd is men zich bij Justitie er goed van bewust dat de vrijlating van Machiel bepaald niet zonder publiciteit zal verlopen.

Het gaat tussen de vier en zes weken duren, als alles goed gaat, voordat Machiel Kuijt naar Nederland kan worden overgebracht. 'Dus hij kan opnieuw de kerst niet thuis vieren,' verzucht ik.

Carry en ik laten het nieuws op ons inwerken. Het moet voor Machiel en zijn familie onwezenlijk zijn zich te realiseren dat hij over zes weken thuis kan zijn. Vanuit New York bellen we met Pita Kuijt. Zij klinkt opgelucht.

Maar ook op dit moment zeggen we tegen elkaar: 'Eerst zien, dan geloven.' De brief van de Thaise commissie is nu belangrijk, evenals de vraag of de eventuele voorwaarden die daarin staan voor Nederland uit te voeren zijn. Inderdaad, nog een zware kersttijd.

Zo ervaart ook Pita Kuijt in Amsterdam die laatste weken. Wat zij dan doormaakt, vertelt zij tot slot.

Dat wachten vanaf november, tot op 15 december de commissie eindelijk bij elkaar komt, is haast niet vol te houden. Het is de zwaarste periode van al die tien jaren. Alles hangt er ook van af. Dat verdrag is de enige weg waarlangs Machiel naar huis kan komen.

Dan krijg ik de vijftiende december telefoon van zowel de ambassade in Bangkok als het ministerie van Buitenlandse Zaken. Ze vertellen dat de commissie instemt met de terugkeer van onze zoon, en dringen nogmaals aan op terughoudendheid bij de familie.

Vandaar dat ik schrik als de volgende dag het nieuws in *De Telegraaf* wordt gepubliceerd. Ik neem meteen contact op met Geert-Jan Knoops in New York om te overleggen wat ik moet doen. Vervolgens heb ik aan het ministerie van Buitenlandse Zaken duidelijk gemaakt dat wij geen bemoeienis hebben gehad met deze publicatie.

Toch is de vreugde bij het positieve besluit over Machiels terugkeer hierdoor voor mij wel behoorlijk vergald. Iedereen zegt me: 'Pita, heb vertrouwen, het komt goed allemaal.' Maar ik blijf bang.

En Machiel wordt nu helemaal verteerd door wanhoop en onzekerheid. 'Mam, het gaat toch wel door?' 'Natuurlijk!' zeg ik dan. Maar ik weet het pas zeker als ik hem in mijn armen sluit.